D0414892

Goosebumps

UM CHOQUE NA RUA SHOCK

2009, Editora Fundamento Ltda.

Editor e edição de texto: Editora Fundamento Ltda.
Capa e editoração eletrônica: Clã Design Ltda.
CTP e impressão: Sociedade Vicente Pallotti

Produzido originalmente por Scholastic Inc.
Copyright © Scholastic 1992

Dados Internacionais de Catalogação na Publicação (CIP)
(Câmara Brasileira do Livro, SP, Brasil)

Stine, R. L.
    Goosebumps: um choque na rua shock/R. L. Stine; [versão
brasileira: Editora Fundamento]. -- 1. ed. – São Paulo, SP:
Editora Fundamento Educacional, 2009.

    Título original: Goosebumps: schocker on shock street
    1. Ficção – Literatura infanto-juvenil I. Título.

08-02480   CDD-028.5

Índices para catálogo sistemático:

1. Ficção: Literatura infanto-juvenil   028.5
2. Ficção: Literatura juvenil   028.5

Fundação Biblioteca Nacional

Depósito legal na Biblioteca Nacional, conforme Decreto nº 1.825, de
dezembro de 1907. Todos os direitos reservados no Brasil por Editora
Fundamento Educacional Ltda.

Impresso no Brasil

Telefone: (41) 3015 9700
E-mail: info@editorafundamento.com.br
Site: www.editorafundamento.com.br

1

— **ERIN,** isso é assustador — disse meu amigo Marty, me puxando pela manga da camisa.

— Solta! — eu disse baixinho. — Você está me machucando!

Marty parecia não me ouvir. Ele encarava a escuridão à nossa frente, apertando meu braço.

— Marty, por favor... — eu disse ao conseguir me soltar.

Eu também estava com medo. Mas não queria admitir.

Era a mais escura das noites. Eu apertava os olhos para tentar enxergar alguma coisa. Então, uma luz cinza surgiu e nos cegou por um instante.

Marty se abaixou. Mesmo com a luz fraca, eu ainda podia ver o medo em seus olhos.

Boquiaberto, ele apertou meu braço novamente. Eu podia ouvir sua respiração cada vez mais forte e ofegante.

Embora estivesse assustada, um sorriso se formou em meu rosto. Eu gostava de ver o Marty com medo.

Estava me divertindo com a situação.

Eu sei, eu sei. Isso é horrível, admito. Erin Wright é uma pessoa ruim. Que tipo de amiga sou eu?

Mas é que o Marty está sempre se gabando de ser mais corajoso que eu. E ele tem razão na maioria das vezes. Ele geralmente é o mais corajoso, e eu sou a covarde.

Mas não agora.

Por isso, vê-lo tremer de medo e segurar meu braço me fez sorrir.

Aos poucos, a luz cinza foi ficando mais forte. Eu ouvia barulhos que soavam como algo quebrando ao ser pisado. Vinham dos dois lados. Alguém tossiu bem atrás de mim. Porém, Marty e eu nem nos viramos. Mantínhamos o olhar fixo, voltado para a frente.

Esperando. Assistindo…

Ao forçar mais a vista, consegui enxergar uma cerca comprida de madeira, com a tinta desbotada e descascada. Havia uma placa escrita à mão onde se lia: "PERIGO. AFASTE-SE. É, É COM VOCÊ MESMO."

Nós nos arrepiamos ao ouvir um barulho. Era como se alguém estivesse arranhando alguma coisa. De leve inicialmente. E depois mais alto. Pareciam garras gigantes raspando o outro lado da cerca.

Tentei engolir, mas minha garganta estava seca. Eu queria era fugir. Dar meia-volta e correr o mais rápido possível.

Mas não podia deixar o Marty lá sozinho. Além do mais, se eu fugisse, ele nunca esqueceria. Iria me atazanar para sempre.

Então, eu fiquei com ele, ouvindo o barulho das garras aumentar cada vez mais. Sons de coisas quebrando ressoavam pelo lugar.

Será que alguém estava tentando passar pela cerca?

Nós andamos bem rápido, até que as estacas da cerca ficaram ao longe, se transformando em um borrão acinzentado.

Porém, aquele ruído nos acompanhava. Ouvíamos o barulho de passos pesados do outro lado da cerca.

Olhávamos o tempo todo para a frente. Estávamos em uma rua vazia. Uma rua que nos era familiar.

Sim, já havíamos estado ali antes.

A calçada estava encharcada pela água da chuva. As poças brilhavam na luz pálida dos postes.

Respirei fundo. Marty apertou meu braço com mais força. Ficamos boquiabertos.

A cerca começou a tremer, nos deixando mais apavorados ainda. Toda a rua tremia. As poças de água espirravam contra o meio-fio.

O ruído dos passos estava mais perto.

– Marty…! – eu mal conseguia falar.

Antes que eu pudesse dizer qualquer outra coisa, a cerca veio abaixo e o monstro apareceu arrasando tudo à sua volta.

A cabeça dele era igual à de um lobo, uma mandíbula enorme, mordendo o ar com aqueles dentões brancos. O corpo parecia o de um caranguejo gigante. Ele tinha quatro garras, que balançavam de um lado para o outro na nossa direção enquanto ele soltava um rugido gutural.

– NÃÃÃÃÃÃÃÃÃÃÃÃOOOOOOOO!!!!!!!!! – Marty e eu deixamos escapar nosso grito de pavor.

Nós queríamos fugir, mas não havia para onde correr.

FICAMOS paralisados, vendo o lobo-caranguejo avançar na nossa direção.

– Ei, crianças, dá pra vocês sentarem? – disse uma voz atrás da gente. – Assim eu não consigo ver a tela.

– Ssshhh! – fez outra pessoa.

Marty e eu nos olhamos. Acho que nós dois nos sentíamos perfeitos idiotas. Bem, pelo menos eu me sentia. Nós nos encolhemos de volta no nosso lugar.

Assistimos ao lobo-caranguejo correr pela rua, perseguindo um menininho andando de triciclo.

– O que foi, Erin? – Marty disse baixinho, balançando a cabeça. – É só um filme. Por que você gritou daquela forma?

– Você também gritou! – respondi com raiva.

– Eu só gritei porque você gritou! – ele insistiu.

– Ssshhh! – fez alguém, pedindo silêncio.

Eu me afundei ainda mais na poltrona. Ouvia o barulho das pessoas comendo pipoca ao nosso redor. Alguém tossiu atrás de mim.

Na tela, bem na minha frente, o lobo-caranguejo esticava as

garras vermelhas enormes e arrancava o menino do triciclo. SNAP. SNAP. Adeus, menino.

Algumas pessoas riram no cinema. Era, de fato, muito engraçado.

Isto é o mais legal dos filmes da série Choque na Rua Shock: eles fazem você gritar e rir ao mesmo tempo.

Marty e eu nos recostamos e nos divertimos com o resto do filme. Nós adoramos filmes de terror, mas os da Rua Shock são os melhores.

A polícia acabou pegando o lobo-caranguejo no fim. Eles ferveram o monstro em um panelão cheio de água. Depois, serviram caranguejo cozido para a cidade toda. As pessoas se sentaram à mesa e mergulharam a comida no molho de manteiga. Todos disseram que estava uma delícia.

Foi um final perfeito. Marty e eu aplaudimos e vibramos. Ele botou o polegar e o indicador na boca e assobiou bem alto, como sempre faz.

Tínhamos acabado de ver Choque na Rua Shock VI, que era, com certeza, o melhor da série.

As luzes do cinema foram acesas. Fomos para o corredor e nos misturamos ao resto da platéia para chegar à saída.

— Ótimos efeitos especiais! — um homem disse para o amigo.

— Efeitos especiais? — respondeu o amigo. — Eu pensei que fosse tudo de verdade!

Os dois riram.

Marty me deu um empurrão. Ele acha divertido tentar me derrubar no chão.

— Filme legal.

— O quê? Você achou o filme só legal? — perguntei espantada.

— Bem, não é muito assustador — respondeu. — Na verdade, achei meio bobo. O Choque V dá muito mais medo.

Revirei os olhos.

— Marty, você gritou à beça! Lembra? Você pulou da poltrona, segurou meu braço e...

— Eu só fiz isso porque vi como você estava assustada — falou, dando um sorrisinho cínico.

Que mentiroso! Por que ele nunca admitia quando ficava com medo?

Marty esticou a perna para tentar me fazer cair. Eu me esquivei para a esquerda, tropecei e esbarrei com força em uma mulher.

— Ei, cuidado! — ela gritou. —Você e seu irmão gêmeo deveriam prestar mais atenção!

— Não somos gêmeos! — Marty e eu gritamos ao mesmo tempo.

Nós nem somos irmãos! Não temos nenhum tipo de parentesco. Mas as pessoas sempre acham que somos gêmeos.

Até acho que a gente se parece bastante. Nós dois temos doze anos e somos meio baixos e um pouco gordinhos. Ambos temos rosto redondo, cabelo preto curto, olhos azuis e um narizinho meio arrebitado.

Mas não somos gêmeos! Somos apenas amigos.

Pedi desculpas à mulher. Quando me virei para falar com o Marty, ele esticou a perna mais uma vez para tentar me fazer cair.

Tropecei de novo, mas logo recuperei o equilíbrio. Aí estiquei a perna e o fiz tropeçar.

Continuamos nessa brincadeira por todo o saguão. As pessoas nos olhavam de cara feia, mas não estávamos nem ligando. A gente estava era rindo pra caramba.

— Sabe o que é o mais legal desse filme? — perguntei.

— Não. O quê?

— Que nós somos praticamente as primeiras pessoas do mundo todo a ver!

— É isso aí! — Marty e eu vibramos de felicidade.

Vimos o Choque na Rua Shock VI na pré-estréia especial. Meu pai trabalha com um pessoal da indústria do cinema e conseguiu uns ingressos para a gente.

— E sabe outra coisa muito legal desse filme? — perguntei. — Os

monstros. Todos pareciam tão reais! Nem dava pra ver que eram efeitos especiais.

Marty franziu a testa.

— Olha, eu achei a Mulher Enguia Elétrica bem falsa. Ela não parecia uma enguia. Estava mais é pra minhoca!

Eu ri.

— Então por que você pulou da poltrona quando ela soltou um raio de eletricidade e fritou aqueles adolescentes?

— Não fui eu que pulei. Foi você!

— Eu, não! Você pulou porque parecia de verdade — insisti. — E bem ouvi você engasgar quando o Monstro Tóxico saltou do depósito de lixo nuclear.

— Eu engasguei com a bala, só isso.

— Marty, você estava com medo porque os monstros pareciam de verdade.

— Ei, e se eles forem de verdade!? — Marty exclamou. — E se não forem efeitos especiais? E se os monstros forem reais?

— Não fale besteira.

Viramos a esquina no próximo corredor. O lobo-caranguejo estava me esperando lá. Não deu tempo nem de gritar.

Ele abriu a bocarra cheia de dentes e deixou sair um uivo igual ao de um lobo. Antes que eu pudesse fazer qualquer coisa, ele me agarrou pela cintura com suas enormes garras vermelhas.

3

ABRI a boca tentando gritar, mas só saiu um gemido fraco.

Ouvi pessoas rindo.

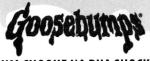
As garras soltaram minha cintura. Eram garras de plástico.

Vi dois olhos negros me encarando por trás da máscara de lobo. Eu deveria ter percebido que era um homem fantasiado. Mas é que não esperava que ele estivesse ali.

Fui pega de surpresa, só isso.

De repente, uma luz branca me cegou. Um homem tinha acabado de tirar uma foto do monstro. Vi um cartaz grande, vermelho e amarelo pregado na parede que dizia: "ASSISTA AO FILME – DEPOIS JOGUE O GAME EM CD-ROM."

– Desculpe pelo susto – disse o homem com a fantasia do lobo-caranguejo.

– Ela se assusta com qualquer coisa! – Marty falou.

Dei um empurrão nele e saímos correndo. Quando me virei, vi o monstro acenando para mim com suas garras vermelhas.

–Temos que ir lá em cima falar com o meu pai – disse para o Marty.

– Oh, não me diga! Que novidade!

Ele se acha tão engraçado.

O escritório do meu pai fica no mesmo prédio do cinema, no 29º andar. Apostamos corrida até os elevadores no fim do saguão e entramos em um.

O trabalho do meu pai é bem legal. Ele constrói parques temáticos e projeta todo tipo de atrações para eles.

Ele foi um dos designers do Parque Pré-histórico, aquele parque temático em que parece que você volta para os tempos pré-históricos. Esse lugar tem um monte de atrações e shows e também vários dinossauros robôs gigantes vagando por lá.

Meu pai também trabalhou no Tour dos Estúdios Fantasia. Todo mundo que vem a Hollywood faz esse passeio.

Foi dele a idéia da parte na qual você atravessa uma tela enorme de cinema e se vê em um mundo cheio de personagens de filmes. Você pode ser a estrela de qualquer filme que quiser!

Sei que parece que estou me gabando, mas é que o meu pai é muito inteligente. Ele é um gênio da engenharia! Acho que é o maior especialista em robôs do mundo. Ele pode construir um robô para fazer qualquer coisa! E ele os usa em todos os parques e passeios dos estúdios.

Marty e eu saímos do elevador no 29º andar. Acenamos para a mulher na recepção e corremos para a sala do meu pai, no fim do corredor.

Ela é bem grande. Enorme, para dizer a verdade. Cheia de brinquedos e bichos de pelúcia de personagens de desenhos, cartazes de filmes e modelos de monstros. Parece mais um salão de jogos do que um escritório.

Marty e eu adoramos perambular pela sala para ver todas aquelas coisas interessantes. Meu pai tem vários pôsteres de diversos filmes nas paredes. Sobre uma mesa comprida, fica um modelo da montanha-russa cheia de inversões que ele projetou, chamada Acrobata. O modelo tem uns carrinhos que deslizam nos trilhos de verdade.

Além disso tudo, ele também tem uma porção de coisas legais da Rua Shock, como, por exemplo, uma das patas peludas originais que a Mulher-Lobo usou no Pesadelo na Rua Shock. Fica dentro de uma caixa de vidro no parapeito da janela.

Ele tem modelos de carrinhos, trens, aviões, foguetes e até de uma nave prateada de plástico controlada por rádio, que ele pode fazer voar pelo escritório.

Que lugar divertido! Se alguém me perguntasse qual é o melhor lugar do mundo, eu diria que é o escritório do meu pai.

Mas nesse dia, quando Marty e eu entramos, ele não parecia muito feliz. Estava curvado sobre a mesa, com o telefone na orelha, cabisbaixo, olhando para o chão, pressionando a testa com a mão e resmungando algo ao telefone.

Meu pai e eu não somos nem um pouco parecidos fisicamente. Eu sou baixinha e morena. Ele é alto e magro. E tem cabelo louro, embora quase já não dê mais para ver; ele é bem careca.

A pele dele é do tipo que fica vermelha com facilidade. As bochechas ficam bem rosadas quando ele fala. Além disso, ele usa uns óculos com armação grande, escura e redonda que esconde seus olhos castanhos.

Marty e eu paramos na porta. Acho que meu pai não tinha nos visto, pois olhava fixamente para baixo. Tinha afrouxado a gravata e aberto o colarinho da camisa.

Ele murmurou algo por mais um tempo. Marty e eu entramos no escritório.

Por fim, meu pai desligou o telefone, levantou os olhos e nos cumprimentou.

— Ah, olá — disse ele de forma suave.

Suas bochechas ficaram cor-de-rosa.

— O que foi, pai? — perguntei.

Ele suspirou. Em seguida, tirou os óculos e coçou a ponta do nariz.

— Erin, tenho uma notícia muito ruim para te dar. Muito ruim mesmo.

— O QUE foi, pai? O que houve? — perguntei mais uma vez.

Aí, vi um sorriso cínico se formar no seu rosto. Eu tinha sido enganada de novo.

— Peguei você! — ele gritou.

Seus olhos castanhos brilhavam de alegria e suas bochechas estavam vermelhas.

— De novo! Você sempre cai nessa brincadeira.

— Ah, pai! — gritei com raiva.

Depois, subi na mesa, pus as mãos ao redor do seu pescoço e fingi que o estrangulava.

Rindo, ambos caímos no chão. Marty ainda estava perto da porta, balançando a cabeça.

— Que bobeira… — murmurou.

Meu pai lutava para conseguir botar os óculos de volta no rosto.

— Desculpe. Mas é que vocês são tão fáceis de enganar. Não resisti — disse sorrindo para mim. — Na verdade, tenho uma boa notícia para te dar.

— Boa? Isso é mais uma das suas brincadeiras? — suspeitei.

Ele negou com a cabeça e pegou algo em cima da mesa.

— Sabem o que é isto? — perguntou enquanto segurava o objeto na palma da mão.

Marty e eu nos aproximamos para ver melhor. Era um pequeninho veículo de plástico branco com quatro rodas.

— É algum tipo de vagão de trem? — tentei adivinhar.

— Não, é um carrinho. Está vendo aqui? As pessoas sentam nesses bancos compridos dentro dele. Olhe. Esse motor é o que o faz funcionar.

Ele apontou para a parte da frente do modelo para mostrar onde ficava o motor.

— Vocês sabem onde esse carrinho vai ser usado?

— Ah, pai, a gente desiste. Pode falar — insisti impaciente. — Pare de fazer suspense.

— Está bem.

Seu sorriso ficou mais largo.

— Este é o modelo do carrinho que será usado no Tour do Estúdio Choque.

Meu queixo caiu.

— Quer dizer que o passeio do estúdio vai ser finalmente inaugurado?

Eu sabia que o meu pai vinha trabalhando nesse projeto há anos. Ele fez que sim com a cabeça.

— Sim. Finalmente, vamos abri-lo ao público. Mas, antes que isso aconteça, gostaria que vocês dois o testassem.

— O quê? Sério? — perguntei mal podendo acreditar.

Estava tão empolgada que quase gritei de felicidade. Eu me virei para o Marty. Ele pulava para cima e para baixo, dando socos no ar e comemorando:

— Uhú!Uhú!

— Construí esse tour e gostaria que vocês fossem os primeiros no mundo a fazer o passeio. Quero saber a opinião de vocês. Do que gostaram e do que não gostaram.

Marty continuava saltando e gritando:

— Uhú!Uhú!

Cheguei a pensar que ia ter que amarrar uma corda na cintura dele para impedir que saísse flutuando por aí.

— Pai, os filmes da série Rua Shock são os melhores! Isso é fantástico! — gritei. — E o passeio é bem assustador?

Meu pai colocou a mão no meu ombro e respondeu:

— Espero que sim. Tentei fazê-lo o mais apavorante e real possível. Você sobe no carrinho, passa por todo o estúdio e pode conhecer todos os personagens dos filmes de terror. E depois o carrinho leva você para uma voltinha na Rua Shock.

— A verdadeira Rua Shock? — Marty perguntou quase gritando. — Sério? Dá pra passar pela rua de verdade, onde eles fazem os filmes?

— Sim, a verdadeira Rua Shock — meu pai confirmou.

— Uhú!Uhú! — Marty voltou a pular e a socar o ar, gritando como um louco.

— Maravilha! Fantástico! — gritei.

Eu estava tão empolgada quanto o Marty.

De repente, ele parou de pular e ficou sério.

— Talvez não seja uma idéia muito boa a Erin fazer o passeio.

Ela se assusta muito fácil – ele disse para o meu pai.

– O quê? – gritei.

– Ficou com tanto medo na pré-estréia do filme que tive que segurar a mão dela – Marty continuou.

Que mentiroso!

– Ah, dá um tempo! – gritei enfurecida. – Se alguém aqui ficou morrendo de medo esse alguém foi você, Marty!

Meu pai levantou as mãos pedindo tempo.

– Calma aí, pessoal – disse gentilmente. – Sem discussão. Vocês têm que ir juntos. Vocês serão as únicas pessoas no passeio de amanhã. As únicas.

– Uhú! Uhú! – Marty se alegrou novamente.

– Que ótimo! Isso é maravilhoso! Vai ser espetacular! – gritei.

Aí, tive uma idéia.

– A mãe também pode ir com a gente? Tenho certeza de que ela iria adorar.

– Como é que é? – meu pai me olhou por cima dos óculos, e seu rosto ficou vermelho como um pimentão. – O que você disse?

– Perguntei se a mãe pode ir conosco.

Ele ficou me olhando por um bom tempo, me analisando.

– Você está bem, Erin? – acabou perguntando.

– Sim, estou – respondi.

De repente, fiquei confusa e perturbada. O que eu tinha feito de errado?

Tinha algum problema com a minha mãe?

Por que o meu pai estava me olhando daquela forma?

MEU pai se aproximou da mesa e botou a mão no meu ombro.

— Acho que você e o Marty vão se divertir mais se forem sozinhos. Você não acha?

— Acho que sim — concordei.

Ainda não entendia por que ele estava me olhando daquela forma suspeita. Decidi não perguntar nada e deixar para lá. Não queria que ele ficasse zangado ou sentisse qualquer coisa que o fizesse mudar de idéia em relação ao passeio.

— Então você não vai mesmo com a gente? — Marty perguntou ao meu pai. — Vamos realmente sozinhos?

— Gostaria que vocês fossem sozinhos. Acredito que vão aproveitar mais assim.

Marty sorriu para mim.

— Espero que seja bem assustador! — falou.

— Não se preocupe — meu pai respondeu com um sorriso estranho no rosto. — Você não perde por esperar.

Na tarde seguinte, havia uma neblina cinza no ar enquanto meu pai nos levava para os Estúdios Choque. Eu estava sentada no banco da frente, olhando a cerração pela janela do carro.

— Está tão sombrio lá fora — murmurei.

— Está um dia perfeito para um tour de filme de terror — Marty se intrometeu do banco de trás.

Ele estava tão animado que mal conseguia ficar parado. Ficava balançando as pernas para cima e para baixo e batendo as mãos no banco de couro.

Eu nunca o tinha visto tão empolgado. Se ele não estivesse

usando o cinto de segurança, provavelmente sairia quicando para fora do carro!

O carro subia as colinas de Hollywood. A estrada estreita tinha curvas e diversas casas com sequóias enormes na frente e todo tipo de árvores no quintal.

Conforme íamos subindo, o céu ia ficando cada vez mais escuro. Cheguei a pensar que estávamos indo em direção a uma nuvem. Eu podia ver a famosa placa escrito – HOLLYWOOD – ao longe, se fazendo notar através da neblina, no topo de um morro.

– Espero que não chova – eu disse, vendo a cerração encobrir a placa.

– Você bem sabe que nunca chove em Los Angeles! – meu pai falou rindo.

– Que monstros vamos ver? – Marty perguntou, quicando no banco de trás. – O Shockro está no passeio? A gente vai mesmo poder andar na Rua Shock?

Meu pai forçava a vista através dos óculos, virando o volante de acordo com as curvas sinuosas da estrada.

– Não vou contar. Não quero ser estraga prazeres. Quero que vocês tenham uma surpresa.

– Eu só queria saber pra poder avisar a Erin. Não quero que ela fique muito apavorada, pode acabar desmaiando ou algo do tipo – ele disse rindo e fazendo piada.

Grunhi de raiva. Depois, virei para trás e tentei dar um soco nele, mas não consegui alcançá-lo.

Marty chegou para a frente e bagunçou o meu cabelo com as mãos.

– Sai! – gritei. – Estou te avisando: não me provoque!

– Sosseguem – meu pai falou. – Chegamos.

Eu me virei de volta para a frente e olhei pelo pára-brisa. A estrada, antes cheia de curvas, havia se transformado numa reta. Fincada bem na nossa frente, uma placa enorme dizia ESTÚDIOS

CHOQUE em letras cor de sangue assustadoras.

O carro foi andando devagar em direção ao alto portão de ferro, que estava fechado. Havia uma pequena cabine preta onde um segurança lia o jornal. Olhei para cima e vi uma palavra escrita em dourado: CUIDADO.

Meu pai parou o carro perto da cabine e falou com o segurança, que abriu um sorriso enorme e em seguida apertou um botão. O portão se abriu vagarosamente. Meu pai agradeceu e continuou dirigindo. Estacionamos na primeira vaga, perto da entrada da enorme garagem ao lado do estúdio. A garagem era tão grande que parecia não ter fim. Porém, só havia três ou quatro carros estacionados ali.

— Semana que vem, quando o parque for inaugurado, esta garagem vai estar lotada! — meu pai disse. — Milhares de pessoas virão até aqui. Bem, pelo menos é o que eu espero.

— Mas hoje nós somos os únicos! — Marty gritou animadamente, saltando do carro.

— Sorte nossa! — concordei.

Alguns minutos depois, estávamos na plataforma em frente ao prédio principal, que dava para uma rua bem larga, esperando o carrinho que ia nos levar para fazer o passeio. A rua contava com diversos estúdios brancos que se espalhavam até a parte mais baixa da colina.

Meu pai apontou para dois prédios gigantescos, que mais pareciam hangares de avião.

— Aqueles são os estúdios — explicou. — Muitas cenas são filmadas lá dentro.

— O tour vai passar por lá? Onde é a Rua Shock? Cadê os monstros? Tem algum filme sendo rodado agora? Podemos ver? — Marty estava cheio de perguntas.

— Opa! Calma! — meu pai disse, botando as mãos nos seus ombros como se estivesse tentando impedi-lo de sair voando.

Eu nunca tinha visto o Marty tão empolgado assim!

— Sossegue, rapaz! Se continuar assim, você vai acabar ficando doido!

Não vai nem conseguir sobreviver ao passeio! — meu pai avisou.

— Talvez a gente deva botar uma coleira nele — eu disse, balançando a cabeça.

— Au! Au! — Marty fez, fingindo que estava latindo.

Depois, ele começou a dar dentadas no ar, tentando me morder.

Senti um arrepio. A neblina passeava pelas colinas. O ar estava úmido e frio. O céu ficou ainda mais escuro.

Avistamos um carrinho de golfe com dois homens de terno falando ao mesmo tempo. Um deles acenou para o meu pai.

— A gente pode andar nesses carrinhos? Tem um deles para cada um de nós? — Marty perguntou.

— Não mesmo — meu pai respondeu. — Vocês têm que pegar o carrinho automático. E lembrem-se: não saiam de dentro dele. Não importa o que aconteça.

— Quer dizer que a gente não pode andar pela Rua Shock? — Marty perguntou choramingando.

Meu pai balançou a cabeça.

— Não. Vocês têm que ficar no carrinho.

Ele se voltou para mim.

— Vou esperar vocês aqui na plataforma. Quero um relatório completo. Quero saber do que vocês gostaram e do que não gostaram. E não se preocupem se as coisas não funcionarem perfeitamente. Ainda estamos tentando solucionar os problemas.

— Olha, lá vem o carrinho! — Marty gritou, pulando e apontando.

O carrinho dobrou a esquina em silêncio. Na verdade, era um trenzinho com seis carrinhos parecidos com os de uma montanha-russa, sem teto, porém mais largos e compridos. Eles eram pretos, com uma caveira sorridente pintada na parte da frente do primeiro carro.

Uma jovem ruiva de uniforme negro estava sentada no primeiro banco do carrinho da frente. Ela acenou para nós enquanto o carrinho

se aproximava da plataforma. Só tinha ela no veículo.

A moça saltou assim que o carrinho parou.

— Olá! Meu nome é Linda e serei a guia durante o passeio.

Ela sorriu para o meu pai, com os cabelos vermelhos voando ao vento.

— Oi, Linda — meu pai disse devolvendo o sorriso.

Ele fez que eu e Marty chegássemos um pouco para a frente com um empurrãozinho.

— Estas são suas primeiras vítimas.

Linda riu e perguntou nossos nomes. Respondemos.

— A gente pode ir no carrinho da frente? — Marty perguntou ansioso.

— Claro. Podem sentar onde quiserem. Este passeio é exclusivo, só para vocês — ela respondeu.

— Ótimo! — Marty gritou, vibrando de felicidade.

— Acho que o Marty já está pronto para o tour — meu pai riu, falando com a Linda.

Ela afastou com a mão o cabelo ruivo que caía no rosto e disse:

— Podemos ir, pessoal. Mas há algo que preciso fazer antes.

Ela se inclinou sobre o carrinho e puxou uma maleta preta.

— Só um segundo — disse, tirando uma pistola vermelha de plástico de dentro da maleta. — Esta aqui é a Pistola Choque Paralisadora.

Linda segurou bem a arma, que mais parecia uma das bugigangas do filme Jornada nas Estrelas. De repente, seu sorriso desapareceu e ela apertou os olhos verdes.

— Cuidado com estas pistolas. Elas podem paralisar um monstro dentro de um raio de 600 metros.

Linda me entregou a pistola e pegou outra para o Marty na maleta.

— Não disparem a não ser que seja extremamente necessário

— ela continuou, engolindo em seco e mordendo o lábio inferior. — Realmente espero que não seja preciso.

— Você está brincando, né? São só brinquedos, certo? — perguntei rindo.

Ela não respondeu. Apenas caminhou na direção do Marty para entregar a outra pistola a ele.

Porém, tropeçou em um fio da plataforma.

— Aaahhh! — gritou apavorada ao disparar a pistola sem querer.

Ouvimos um barulho horrível e vimos um raio de luz amarela.

Linda tinha sido paralisada.

— **LINDA!** Linda! — gritei.

Marty estava de boca aberta, com um grito preso na garganta.

Virei para o meu pai. Para minha surpresa, ele estava rindo.

— Pai, ela... ela... ela está paralisada! — gritei.

Mas, quando me virei de volta para a Linda, ela também estava rindo.

Demorou um pouco para que Marty e eu percebêssemos que tudo não passava de uma brincadeira.

— Esse é o primeiro choque do passeio dos Estúdios Choque — ela anunciou, abaixando a pistola vermelha.

Linda colocou uma das mãos no ombro do Marty e disse:

— Eu assustei você pra valer, não é, Marty?

— Não mesmo! Eu sabia que era brincadeira, só quis entrar no clima — ele insistiu.

— Ah, Marty, por favor! Você quase desmaiou de tanto medo! — eu disse, revirando os olhos.

— Erin, eu não fiquei assustado! — ele insistiu. — É sério. Só quis entrar na brincadeira. Você acha mesmo que eu ia acreditar que essa pistolinha de plástico é uma arma de verdade?

O Marty é tão idiota. Por que ele nunca admitia quando ficava com medo?

— Andem logo — meu pai nos apressou. — O espetáculo já vai começar.

Marty e eu subimos no banco da frente do carrinho. Tentei achar um cinto ou barra de segurança, mas não encontrei.

— Você não vem com a gente? — perguntei à Linda.

Ela negou.

— Não, vocês vão sozinhos. Os carrinhos são automáticos — disse, entregando a pistola ao Marty. — Espero que você não precise usá-la.

— Ah, claro. Essa pistola é tão boba — ele resmungou, revirando os olhos.

— Lembrem-se: vou encontrar vocês aqui no fim do passeio. Divirtam-se! E quero um relatório completo! — meu pai falou, despedindo-se.

— Não saiam do carrinho. Mantenham os braços e a cabeça para dentro. E não levantem enquanto o carrinho estiver em movimento — Linda nos lembrou.

Ela pisou em um botão azul na plataforma. O carrinho deu um solavanco, e Marty e eu fomos jogados para trás no banco. Em seguida, começamos a andar lentamente.

— A Mansão Mal-Assombrada é a primeira parada! — Linda gritou enquanto íamos embora. — Boa sorte!

Eu me virei e a vi acenando, com os cabelos ruivos voando ao vento. Uma corrente de ar passou por nós quando o carrinho começou a descer a montanha. O céu estava tão escuro que parecia quase noite. Alguns dos estúdios brancos estavam encobertos pela neblina.

— Que arma mais idiota! — Marty resmungou, rodando a pistola com o dedo. — Pra que a gente vai precisar dessa pistola de plástico? Espero que o passeio não seja idiota também.

— E eu espero que você não fique reclamando a tarde toda — falei zangada. — Você não consegue ver como isso é fantástico? A gente vai ver todas as criaturas bizarras dos filmes da Rua Shock!

— Será que vamos ver o Shockro?

O Shockro é o monstro preferido do Marty. Acho que é porque ele é completamente nojento.

— Provavelmente — respondi.

Meus olhos prestavam atenção nos prédios baixos pelos quais passávamos. Todos estavam escuros e vazios.

— Quero ver o Menino Lobo e a Menina Loba — Marty disse, contando os monstros nos dedos. — E os Canibais, e o Capitão Nojo, e o Roedor Mutante, e...

— Ei, olha lá! — gritei, batendo no ombro dele e apontando.

Ao fazermos uma curva, vimos a Mansão Mal-Assombrada aparecer bem na nossa frente. O telhado e as altas torres de pedra estavam escondidos pela cerração. O resto da casa parecia ter um tom acinzentado provocado pelo céu sombrio.

O carrinho nos levou mais perto. Ervas daninhas se espalhavam pelo gramado frontal. As telhas cinzas estavam lascadas e descascadas. Uma luz verde pálida e sinistra saía do alto da janela da frente.

Vi também um balanço enferrujado se movendo sozinho na varanda apodrecida.

— Legal! — exclamei.

— É bem menor do que a que aparece no filme — Marty reclamou.

— É a mesmíssima casa! — gritei.

— Então por que é tão pequena?

Como ele é chato!

Deixei as reclamações do Marty pra lá e observei melhor a

UM CHOQUE NA RUA SHOCK

Mansão Mal-Assombrada. Tinha uma cerca de ferro rodeando o lugar. Quando o carrinho foi andando para a parte lateral, o portão enferrujado se abriu, rangendo e chiando.

– Olha! – eu disse, apontando para as janelas com as luzes apagadas no segundo andar.

As venezianas abriram de repente e fecharam novamente, batendo forte.

As luzes se acenderam por trás das janelas, e pude ver silhuetas de esqueletos pendurados, balançando bem devagar de um lado para o outro.

– Até que esse efeito é legal – Marty disse. – Mas não muito assustador.

Ele levantou a pistola de plástico e fingiu atirar nos esqueletos.

Demos uma volta completa ao redor da Mansão Mal-Assombrada. Dava para ouvir gritos de pavor vindos lá de dentro. As venezianas não paravam de bater. O balanço na varanda continuou se mexendo para a frente e para trás, para a frente e para trás, como se houvesse um fantasma em cima dele.

– A gente vai entrar ou não vai? – Marty quis saber impaciente.

– Sente aí e pare de reclamar! – briguei. – O passeio acabou de começar, não seja estraga prazeres!

Ele fez careta para mim. Mas pelo menos sossegou. Ouvimos um uivo comprido e depois um grito de terror estridente.

O carrinho foi andando em silêncio para os fundos da casa. Atravessamos um portão e passamos rapidamente pelo quintal repleto de ervas daninhas emaranhadas.

Então, o veículo ganhou velocidade, nos fazendo quicar enquanto íamos em direção à porta dos fundos. Sobre ela, havia uma placa em que se lia: "AQUI ACABA A ESPERANÇA."

"Vamos nos chocar contra a porta!", pensei.

Eu me encolhi no carrinho e levantei os braços para me proteger.

Porém, a porta acabou se abrindo para entrarmos.

A velocidade do carrinho diminuiu. Abaixei os braços e me endireitei no banco. Estávamos em uma cozinha escura e empoeirada. Um fantasma invisível soltou uma gargalhada maligna. As paredes estavam cobertas por panelas e potes, que se espatifavam no chão enquanto passávamos.

O forno abria e fechava sozinho. A chaleira sobre o fogão começou a apitar. Os pratos chacoalhavam nas prateleiras. A gargalhada ficava cada vez mais alta.

— Isso é bem assustador… — sussurrei.

—Ah, é. Estou arrepiado! — Marty respondeu de forma irônica. — Que chatice! — completou, cruzando os braços.

—Ah, Marty, dá um tempo. Você pode até não estar gostando, mas não estrague o meu passeio — falei, empurrando-o.

A bronca funcionou, ele se desculpou.

O carrinho saiu da cozinha e foi dar em um corredor mais escuro ainda, onde havia pinturas de criaturas horrorosas penduradas nas paredes.

De repente, a porta de um armário se abriu e um esqueleto pulou na nossa frente, gargalhando com a boca aberta e os braços esticados para nos pegar.

Gritei. Marty riu.

O esqueleto voltou para dentro do armário. Quando o carrinho fez uma curva, vi uma luz fraca mais à frente.

Fomos levados até uma sala grande e redonda.

— É a sala de estar — sussurrei para o Marty.

Levantei os olhos em direção àquela luz e vi um candelabro com dúzias de velas acesas em cima da gente.

O carrinho parou bem embaixo dele. O candelabro começou a tremer. Em seguida, todas as velas se apagaram de uma vez, num único sopro.

A sala mergulhou na mais profunda escuridão. Depois, uma gargalhada sinistra ecoou por todo o cômodo. Engoli em seco.

— Bem-vindos ao meu humilde lar! — de repente se ouviu uma voz rouca.

— Quem é que está falando? De onde vem essa voz? — perguntei baixinho para o Marty.

Não obtive resposta.

— Ei, Marty?

Eu me virei na direção em que ele estava.

— Marty...?

Mas ele não estava mais lá.

— MARTY?

Eu mal conseguia respirar. Fiquei congelada, encarando a escuridão.

Onde ele poderia estar? Não podíamos sair do carrinho. Será que tinha pulado?

Não podia ser. Se tivesse feito isso, eu teria escutado algum barulho.

— Marty?

Alguém segurou meu braço. E ouvi a risadinha do Marty.

— Ei, onde você está? Não estou vendo! — gritei.

— Também não consigo ver você — ele respondeu. — Mas eu nem me mexi. Ainda estou sentado ao seu lado.

— O quê? — estiquei o braço e senti a manga da camisa dele.

— Que legal! Estou mexendo os braços, mas não consigo enxergar nada. Você não está me vendo mesmo?

— Não — respondi — Pensei que...

— Deve ser um truque de luz. Luz negra ou algo do gênero. Algum tipo de efeito especial de filme muito legal.

— Bem, eu fiquei apavorada — confessei. — Acreditei mesmo que você tinha desaparecido.

— Que bobona!

Então, demos um pulo.

De repente, a grande lareira de tijolos se acendeu. Uma luz laranja se espalhou por toda a sala. Uma poltrona grande e preta girou, revelando um esqueleto com um sorriso sarcástico.

O esqueleto pegou o crânio amarelado nas mãos, e a sua boca se mexeu.

— Espero que gostem da minha casa. Pois nunca irão sair dela! — disse com uma voz que ecoou.

Ele botou o crânio de volta no lugar e deu uma gargalhada macabra.

O carrinho deu novo solavanco e recomeçou a andar, nos levando para fora da sala. Estávamos mais uma vez em um corredor comprido e escuro. A gargalhada do esqueleto nos seguiu até lá.

Fomos pressionados contra o banco quando a velocidade aumentou.

Dobramos em uma esquina e fomos dar em outro corredor longo e tão escuro que nem se conseguia ver as paredes.

O carrinho ia cada vez mais rápido.

Viramos em outra esquina. Em seguida, fizemos mais uma curva fechada.

Estávamos subindo agora. Então, despencamos numa descida tão brusca e íngreme que jogamos as mãos para o alto e gritamos.

Outra curva acentuada. Depois, para cima. E então, despencamos de novo.

Era como um passeio de montanha-russa no breu total.

Era demais! Até melhor do que se pudéssemos enxergar porque não tínhamos como prever nada. Marty e eu gritamos à beça, esbar-

rando um no outro com força enquanto o carrinho se movia rapidamente pelos corredores escuros da Mansão Mal-Assombrada. Subimos mais e mais e depois descemos bruscamente mais uma vez.

Eu me segurava na parte da frente do carrinho para me proteger, tão forte que minhas mãos doíam. Não havia cinto nem barra de segurança.

Fiquei imaginando o que aconteceria se fôssemos jogados para fora do carrinho.

Como se tivesse lido meu pensamento, o veículo começou a chacoalhar de um lado para o outro. Acabei me soltando e gritei. Deslizei para a parte lateral do carrinho, e Marty foi empurrado para cima de mim.

Procurei freneticamente algo em que me segurar.

O carrinho chacoalhou de novo, o que o fez voltar para a posição inicial. Respirei fundo e voltei para o meu lugar no banco.

– Que legal! Essa parte foi ótima! – Marty gritou rindo. – Ótima!

Eu me segurei na frente do carrinho e respirei fundo mais uma vez, tentando acalmar meu coração, que estava muito acelerado.

De repente, uma porta se abriu na nossa frente, e nós a atravessamos. O carrinho se agitava com violência.

De repente, vi as árvores e o céu acinzentado dominado pela neblina. Estávamos do lado de fora, no quintal, sendo jogados de um lado para o outro ao passarmos pelas ervas daninhas, andando em ziguezague pelas árvores.

– Ai! Chega! – gritei.

Eu mal conseguia respirar. O vento batia com força contra o meu rosto. O carrinho rangia e fazia barulho enquanto passava pelo chão irregular.

Ele estava descontrolado. Tinha algo muito errado.

Mesmo quicando com força no assento de plástico e tentando me segurar firme, eu olhava em volta, procurando alguém que pudesse nos ajudar.

Não havia ninguém.

Então, o carrinho começou a perder velocidade, e eu me virei para o Marty. Ele estava boquiaberto, pasmo com os olhos arregalados.

Perdemos cada vez mais velocidade até nos arrastarmos vagarosamente pelo lugar.

— Isso foi fantástico! — Marty declarou, ajeitando o cabelo, que estava todo bagunçado, e sorrindo para mim.

Sei que ele também tinha ficado assustado. Mas estava fingindo que tinha gostado daquele passeio louco e desenfreado.

— É, foi muito bom — falei, tentando entrar no jogo.

Porém, minha voz saiu fraca e tremida.

— Vou dizer pro seu pai que o passeio de montanha-russa pelos corredores foi a melhor parte!

— Até que foi legal. Mas também foi assustador.

— Ei, onde nós estamos? — Marty perguntou, olhando em volta.

O carrinho tinha parado. Eu me levantei e dei uma olhada no lugar. Estávamos entre duas fileiras altas de sempre-vivas. Os ramos eram finos, em formato de lanças apontando para o céu.

Acima de nós, o sol da tarde tentava penetrar pela cerração com raios de luz fracos descendo do céu nublado. As sombras altas e finas dos ramos encobriam nosso carrinho.

Marty levantou e virou para trás.

— Não há nada por perto. Estamos no meio do nada. Por que paramos? — perguntou.

— Você acha que...? — comecei.

No entanto, parei de falar ao ver um ramo se mexer.

Ele estava se sacudindo. Depois, outro começou a se sacudir também.

— Marty... — sussurrei, puxando a manga da camisa dele.

Vi dois círculos vermelhos brilhando atrás de um arbusto. Dois olhos vermelhos brilhantes!

— Marty, tem alguém ali.

Outro par de olhos. E mais outro. Todos nos observando por trás das sempre-vivas.

Depois, apareceram duas garras negras.

Em seguida, ouvimos uns barulhos. O arbusto balançou quando duas criaturas escuras saíram de trás dele. Rosnando, arfando.

Quase tive um troço. Já era tarde demais para fugir.

Fomos cercados por aqueles monstros horrendos e ofegantes, que começaram a subir no carrinho, tentando nos alcançar.

QUERÍAMOS abandonar o carrinho e sair correndo.

Ouvi o Marty gemer de medo.

Tentei me afastar das criaturas, mas elas vinham dos dois lados, rosnando e arfando.

—Vão embo-bo-ra! — gaguejei.

Um monstro coberto de pêlo marrom embaraçado abriu a bocarra e revelou uma fila irregular de dentões amarelos. Seu bafo quente explodiu no meu rosto. Depois, ele se aproximou, esticou uma das patas enormes e liberou um rugido ameaçador.

— Quer um autógrafo? — perguntou.

Olhei para ele completamente pasma.

— O quê?

— Quer uma foto autografada? — repetiu, levantando a pata peluda na qual segurava uma foto preto-e-branco.

— Ei, é o Cara de Macaco! — Marty gritou, apontando.

O monstrengo peludo fez que sim com a cabeça e esticou o braço para dar a foto ao Marty.

— Quer uma foto? Esta é a parte do passeio em que vocês podem pedir autógrafos.

— Sim! Claro! — Marty respondeu.

O macacão peludo tirou uma caneta de trás da orelha e se inclinou para assinar a foto.

Agora que os meus batimentos cardíacos estavam voltando ao normal, comecei a reconhecer algumas das outras criaturas. O cara coberto de lodo roxo era o Selvagem Homem Tóxico. Reconheci também a Boneca Sue, uma boneca em forma de bebê com cabelo de verdade que fala e anda. Na verdade, a Boneca Sue é uma assassina mutante que veio direto de Marte.

O homem com cara de sapo coberto por verrugas roxas e marrons da cabeça aos pés era o Sapo Extraordinário, também conhecido como Sapão. Ele estrelou Terror no Pântano e Terror no Pântano II, dois dos filmes mais apavorantes de todos os tempos.

— Sapo, você pode me dar um autógrafo? — perguntei.

Ele coaxou e pegou uma caneta com a mão verruguenta. Eu me inclinei para a frente para vê-lo assinar a foto. Escrever era difícil para ele; a caneta ficava escorregando da pata pegajosa.

Marty e eu pegamos um monte de autógrafos. Em seguida, os monstros voltaram bufando e arfando para trás dos arbustos.

Começamos a rir quando eles foram embora.

— Que coisa idiota! — gritei. — Quando vi essa turma se arrastando pra fora dos arbustos, pensei que fosse desmaiar de medo.

Marty fez cara de poucos amigos.

— São só uns atores fantasiados — zombou. — Parece coisa pra criança.

— Mas… mas eles pareciam reais — gaguejei. — Não parecia que estavam usando fantasia, né? As mãos do Sapão eram pegajosas de verdade. E o pêlo do Cara de Macaco era tão real. As máscaras eram incríveis, nem pareciam máscaras. Como será que eles colocam aquelas fantasias? Não vi nenhum botão, zíper, nada do gênero.

— É porque são fantasias de cinema. Elas são melhores que as fantasias normais — Marty explicou.

Ah, o Senhor Sabichão.

O carrinho voltou a andar. Eu me recostei, observando as duas fileiras de sempre-vivas ficarem para trás até sumirem no horizonte.

Vi os prédios brancos dos estúdios do alto da colina. Será que tinha algum filme sendo rodado naquele exato momento? Será que o carrinho ia levar a gente até lá?

Dava para ver também dois carrinhos de golfe acompanhando a estrada, levando as pessoas para os estúdios.

O sol ainda tentava ultrapassar a neblina. O carrinho tremia em cima da grama.

— Ei! — gritei ao darmos meia-volta e recuarmos em direção às árvores.

Uma voz feminina surgiu de uma caixa de som dentro do carrinho.

— Por favor, permaneçam no vagão. Próxima parada: Caverna das Criaturas Abomináveis.

— Caverna das Criaturas Abomináveis? Uau! Deve ser bem assustador! — Marty disse.

— Deve ser mesmo! — concordei.

Mal podíamos imaginar quão terrível seria.

O CARRINHO ziguezagueou por entre as árvores, cujas sombras se projetavam sobre nós como fantasmas.

Estávamos no mais completo silêncio. Tentei imaginar como

seria o passeio se o carrinho estivesse lotado de crianças e adultos empolgados. Acho que seria bem menos assustador se houvesse muita gente.

Mas eu não estava reclamando. Marty e eu tínhamos muita sorte de sermos os primeiros a experimentar esse tour.

Marty ficou boquiaberto e apertou meu braço ao ver a Caverna das Criaturas Abomináveis na nossa frente. Sua entrada era um buracão na lateral da colina. Havia uma luz pálida, cor de prata, tremendo lá dentro.

Diminuímos a velocidade ao nos aproximarmos do buraco escuro. Havia uma placa em cima dele, com uma palavra entalhada de forma bem rústica: "ADEUS!"

O carrinho deu uma guinada para a frente.

– Ei! – gritei, me abaixando.

Que entrada apertada!

Mergulhamos na luz fraca e tremida. O ar logo ficou mais frio e úmido. Um odor azedo de terra molhada se infiltrou pelas minhas narinas, me fazendo engasgar.

– Morcegos! – Marty sussurrou. – O que você acha, Erin? Será que tem morcegos aqui? – ele perguntou, se inclinando sobre mim e dando uma gargalhada sinistra no meu ouvido.

Ele sabe que eu odeio morcegos!

Já sei, já sei. Na realidade, os morcegos não fazem nenhum mal. E não são perigosos. Eles comem mosquito e outros insetos. E também não atacam as pessoas, não se enroscam no seu cabelo nem tentam chupar o seu sangue. Isso só acontece nos filmes.

Sei de tudo isso. Mas não dou a mínima.

Morcegos são feios, assustadores e nojentos. E eu os odeio.

Um belo dia, contei para o Marty quanto odeio morcegos, e ele vem me importunando desde então por causa disso.

O carrinho ia cada vez mais fundo na caverna. O ar ficou ainda mais gelado. O cheiro azedo quase me sufocava.

— Olha lá! — Marty gritou. — Um morcego vampiro!

— O quê? Onde? — gritei desesperada.

Mas é claro que era uma das brincadeirinhas idiotas do Marty, que riu como um louco.

Briguei com ele e bati no seu ombro com força.

— Não tem a mínima graça! Você é muito imbecil!

Ele riu ainda mais.

— Aposto que tem morcego aqui — insistiu. — Não dá pra acreditar que numa caverna profunda e escura como esta não tenha.

Ignorei o sorrisinho cínico do Marty e prestei atenção nos sons à minha volta. Eu tentava escutar o barulho de asas batendo, mas não ouvia nada.

A caverna ficava cada vez mais estreita. As paredes sujas pareciam se fechar em cima de nós. A lateral do carrinho raspava contra elas. Sentia que estávamos descendo.

Mesmo com a luz fraca e prateada, consegui ver uma fileira de formações pontiagudas de gelo brotando do teto. Sei que têm um nome, mas nunca consigo lembrar qual — estalagmite ou estalactite.

Eu me abaixei quando o carrinho passou por baixo delas. Vistas de perto, pareciam presas de elefante.

— Estamos chegando mais perto dos morcegos! — Marty zombou.

Ignorei-o, mantendo os olhos voltados para a frente. A caverna se alargou de novo. Umas sombras escuras se moviam e dançavam, projetando-se nas paredes.

Dei um gemido ao sentir algo frio e pegajoso cair na minha nuca. Espantei a coisa e me virei para o Marty com raiva.

— Pare com isso! — briguei. — Tire essas mãos geladas de mim.

— Quem? Eu?

Ele não estava me tocando. Suas mãos estavam grudadas na parte da frente do carrinho.

Então, o que tinha caído na minha nuca? Era frio e molhado

como gelo. Tremi. Meu corpo todo estava arrepiado.

— M-Marty! — gaguejei. — S-socorro!

— O que foi, Erin? — ele perguntou sem entender nada.

— Minha nuca… — sussurrei.

Eu sentia algo gelado e molhado se mexendo. Preferi não esperar que o Marty me ajudasse e estiquei o braço para tirar eu mesma aquela coisa dali. Era gelada e grudenta e começou a se contorcer e escorregar, até que caiu no assento.

Uma minhoca! Uma minhoca branca e comprida. Fria, muito fria e molhada.

— Que estranho! — Marty exclamou, se aproximando da criatura para vê-la melhor. — Nunca vi uma minhoca tão grande. E branca, ainda por cima!

— E-ela caiu do teto — falei, vendo-a se mexer perto de mim. — É fria que nem gelo.

— O quê? Quero tocar — Marty disse.

Ele levantou a mão e colocou o dedo indicador bem no meio da minhoca.

Em seguida, abriu a boca em um grito de terror que ecoou por toda a caverna.

10

— **O QUE** foi, Marty? Qual é o problema? — perguntei tremendo.

— Ca… ca… ca… — ele mal conseguia falar, só ficava dizendo "ca… ca… ca…" com os olhos esbugalhados e a língua para fora.

Ele levantou os braços e tirou uma minhoca branca do topo

da cabeça.

— Ca... ca... caiu uma em mim também!

— Eca! — gritei.

A minhoca que caiu nele parecia um cadarço de tênis de tão comprida.

Nós dois jogamos as minhocas para fora do carrinho.

Mas então senti um "ploft" macio e úmido no ombro. Depois um "ploft" frio no topo da cabeça. E outro na testa, como um tapa gelado.

— Ahhh, socorro! — berrei.

Comecei a agitar os braços, tentando pegar as minhocas, lutando para tirá-las de cima de mim.

— Marty, me ajuda! — implorei.

Porém, ele estava ocupado procurando afastar as que caíam em cima dele, se contorcendo, tentando se esquivar conforme mais minhocas brancas caíam do teto.

Vi uma cair no ombro do Marty e outra se enrolar na sua orelha.

Tirei os bichos nojentos e grudentos de cima de mim o mais rápido possível e os joguei para fora do carrinho, que andava bem devagar.

Fiquei imaginando de onde elas tinham vindo.

Quando olhei para cima, vi uma minhoca gorda e pegajosa, que acabou caindo sobre os meus olhos.

— Ecaaaaaaaaa! — gritei, pegando-a e a atirando longe.

O carrinho se moveu numa curva acentuada, o que nos fez escorregar para o outro lado do banco. A caverna se estreitou novamente ao entrarmos em outro túnel. A luz prateada brilhava bem fraquinha ao nosso redor conforme íamos aos socos para a frente.

Duas minhocas brancas, cada uma com pelo menos 30 centímetros de comprimento, caíram e se contorceram no meu colo. Eu as peguei e as joguei para fora.

Procurei outras, mal podendo respirar. Todo o meu corpo coçava, minha nuca latejava e eu não conseguia parar de tremer.

— Elas pararam de cair — Marty anunciou com a voz trêmula.

Esfreguei a nuca, me levantando e olhando para o assento e para o chão, tentando achar mais daqueles bichos pegajosos. Encontrei uma última minhoca subindo pelo meu sapato e a chutei longe. Depois, me recostei no banco e deixei escapar um suspiro.

— Isso foi muito nojento! — gritei.

Marty coçou o peito e passou as mãos pelo rosto.

— Deve ser por isso que o nome dessa atração é Caverna das Criaturas Abomináveis — ele disse, deslizando as mãos pelo cabelo.

Eu continuava tremendo, sem conseguir parar de me coçar. Sabia que não havia mais minhocas, mas ainda podia senti-las.

— Aquelas minhocas brancas nojentas… Você acha que elas estavam vivas?

Marty negou com a cabeça.

— Claro que não. Eram de mentira — falou. — Elas te enganaram, né?

— Mas pareciam bem verdadeiras — respondi. — E a forma como se contorciam…

— Deviam ser robôs ou algo do tipo. Nada aqui é de verdade. Não pode ser.

— Não tenho tanta certeza disso.

— Bem, depois a gente pergunta isso pro seu pai — ele respondeu resmungando.

Tive que rir. Eu sabia por que o Marty estava irritado. Não importava se as minhocas eram reais ou falsas, a verdade é que o haviam assustado. E ele sabia que eu sabia que ele tinha ficado com medo.

— Acho que as criancinhas não vão gostar dessa parte — Marty disse. — Vão ficar muito assustadas. Vou dizer isso pro seu pai.

Nesse momento, mas senti algo cair sobre mim. Algo estranho e seco que cobriu meu rosto, meus ombros, meu corpo inteiro.

Tentei me desvencilhar da coisa com ambas as mãos. "Parece uma rede", pensei.

Puxei-a desesperadamente, tentando tirá-la do rosto. Enquanto me debatia, virei-me e vi o Marty se retorcendo e abanando os braços, fazendo o mesmo.

O carrinho solavancava pelo túnel mal iluminado. A rede grudenta parecia algodão-doce agarrando na pele.

Marty deixou escapar um grito.

– É uma enorme te… te… teia de aranha! – gaguejou.

Eu a arrancava, puxava e empurrava. Mas os fios grudavam cada vez mais no meu rosto, nos braços e nas roupas.

– Eca! Que nojo! – gritei.

Então, vi os pontos negros descendo pela rede. Demorei alguns segundos para entender o que eram. Aranhas! Centenas delas!

– Ohhhhh! – um gemido baixinho saiu da minha garganta.

Sacudi a teia com as duas mãos. Esfregava o rosto freneticamente, tentando me livrar dos fios grudentos. Tirei uma aranha da testa e outra da manga da camisa.

– As aranhas estão no meu cabelo! – Marty gritou.

Ele tinha se esquecido de fingir que estava calmo. Começou a mexer no cabelo com as mãos e a bater na própria cabeça, golpeando os bichinhos.

Nós lutávamos para nos livrar das aranhas negras, enquanto o carrinho continuava se movendo. Tirei três do cabelo. Depois, senti uma subir pelo nariz!

Berrei apavorada e assoei a aranha para fora como se estivesse resfriada.

Marty tirou uma do meu pescoço e a jogou longe. A última. Eu não conseguia ver, nem sentir, mais nenhuma.

Nós nos acalmamos um pouco, porém ainda respirando com dificuldade. Meu coração batia acelerado dentro do peito.

– Ainda acha que é tudo de mentira? – perguntei ao Marty com a voz fraca e trêmula.

– Nã… não sei – ele respondeu hesitante. – Talvez fossem

marionetes controladas por rádio, sabe?

— Eram de verdade! — gritei feroz. — Admita, elas eram reais! A gente está na Caverna das Criaturas Abomináveis, e aquelas aranhas eram a parte abominável e viva do tour!

Marty arregalou os olhos.

— Você acredita mesmo nisso?

Fiz que sim com a cabeça.

— Só podiam ser de verdade.

Ele abriu um sorriso:

— Que legal! Aranhas de verdade! Muito legal!

Suspirei longamente e me afundei no banco. Eu não tinha achado aquilo nada legal. Para mim, tinha sido tudo apavorante e nojento.

As atrações desses passeios constumam ser falsas. É por isso que eles são divertidos. Decidi falar para o meu pai que as minhocas e aranhas eram assustadoras demais. Ele deveria cortá-las antes que o tour fosse aberto ao público.

Cruzei os braços e fixei o olhar à frente. Eu me perguntava o que mais poderia acontecer. Torcia para que não houvesse mais nenhum inseto asqueroso esperando para cair sobre nós.

—Acho que estou ouvindo morcegos — Marty disse, tentando me provocar, se inclinando sobre mim e rindo ironicamente. — Está escutando esse barulho de asas batendo? São morcegos vampiros gigantes!

Dei um empurrão nele. Não estava nem um pouco a fim de ouvir suas brincadeirinhas.

— Quando a gente vai sair desta caverna? — perguntei sem paciência. — Já perdeu a graça.

— Eu estou achando legal. Gosto de explorar cavernas — Marty respondeu.

O túnel estreito desembocou numa caverna ampla. O teto parecia estar a quase um quilômetro de distância. Havia pedras enormes espalhadas pelo chão. Pedras empilhadas sobre pedras. Pedras por todo o lugar.

Ouvia pingos de água vindos de algum lugar mais à frente. "Ploft, ploft, ploft."

Uma luz verde sinistra vinha das paredes. O carrinho foi até a parede dos fundos e parou.

— E agora? — sussurrei.

Nós nos viramos, mas só vimos pedras lisas, algumas redondas, outras quadradas.

"Ploft, ploft, ploft", fazia a água pingando à nossa direita. O ar estava frio e úmido.

— Que chatice! — Marty resmungou. — Quando vamos voltar a andar?

Dei de ombros.

— Não sei. Por que paramos aqui nesta caverna grande e vazia?

Ficamos esperando o carrinho se movimentar e nos tirar dali.

Um minuto se passou. E mais alguns.

Ficamos de joelho no banco, observando atentamente qualquer movimento atrás do carrinho. Mas nada se mexia. Ouvíamos a goteira ecoando pelas altas paredes de pedra. Não havia nenhum outro barulho.

Ao me encostar novamente no assento, fiz uma concha com a mão e gritei:

— Ei, tem alguém aí?

Esperei. Ninguém respondeu.

— Tem alguém aí? — repeti. — Acho que estamos presos aqui.

Ninguém respondeu de novo. Só dava para ouvir o barulho constante da água.

Forcei a vista para tentar ver alguma coisa naquela luz verde.

Por que o carrinho não se mexia? Será que tinha quebrado? A gente estava realmente preso?

— O que será que aconteceu com o carrinho? Você acha que... Ei! — exclamei ao ver que Marty não estava sentado ao meu lado.

Estiquei as mãos para tentar achá-lo. Será que era outro truque

de luz? Outra ilusão de óptica?

— Marty? Marty? — chamei.

Senti um arrepio nas costas.

Desta vez, ele tinha sumido mesmo.

11

— MARTY?

Ouvi um arranhão ao lado do carrinho que me fez pular do banco.

Olhei em volta e vi o Marty sorrindo para mim no chão da caverna.

— Peguei você!

— Seu imbecil! — gritei, tentando socá-lo, mas ele desviou rindo. — Você é que é a criatura abominável! Você tentou me assustar de propósito!

— Isso não seria muito difícil! — ele respondeu. — Desci pra ver se estava tudo certo com o carrinho.

— Mas ele pode voltar a andar a qualquer minuto! Você sabe o que a guia do passeio falou. Não devemos sair do carrinho em hipótese alguma.

Marty se agachou para verificar os pneus.

— Acho que aconteceu alguma coisa. Talvez tenha saído dos trilhos.

Ele levantou os olhos para mim e balançou a cabeça inquieto.

— Mas não tem trilhos…

— Marty, volte já pra cá. — pedi. — O carrinho pode andar e deixar você aí…

Ele sacudiu o veículo com as mãos. Os pneus quicaram, mas o carrinho não deu sinal de vida.

— Acho que quebrou — ele concluiu. — Bem que o seu pai disse que algumas coisas poderiam não funcionar direito...

Senti uma pontada de pavor no coração.

— Quer dizer que estamos presos aqui? Sozinhos nesta caverna assustadora?

Ele se dirigiu para a parte da frente do carrinho e se espremeu contra a parede. Depois, tentou empurrá-lo para trás, fazendo toda a força possível com as duas mãos.

Porém, o carrinho não saiu do lugar.

— Ai, isso é horrível! Não estou me divertindo nem um pouco — murmurei, balançando a cabeça.

Eu me ajoelhei no banco novamente e gritei mais uma vez, o mais alto que consegui.

— Tem alguém aí? Alguém trabalha aqui? O carrinho empacou!

"Ploft, ploft, ploft." As gotas foram minha única resposta.

— Será que alguém pode nos ajudar? — gritei. — Por favor! Alguém!

Não obtive nenhuma resposta.

— E agora? — gemi desesperada.

Marty ainda estava tentando empurrar o carrinho com toda a força. Deu um último empurrão e acabou desistindo com um suspiro.

— Melhor você descer. Vamos ter que ir andando — disse.

— O quê? Andando? Nessa caverna escura e assustadora? Nem pensar, Marty!

Ele veio para o meu lado do carrinho.

— Você não está com medo, né, Erin?

— Estou, sim! — confessei. — Um pouco...

Olhei para os lados.

— Não estou vendo nenhuma saída de emergência — falei.

—A gente pode encontrar uma saída. Deve haver uma porta em algum lugar. Esses passeios sempre têm uma saída de emergência.

—Devíamos ficar no carrinho — falei hesitante. — Se esperarmos um pouco, alguém vai acabar aparecendo pra nos tirar daqui.

—Isso pode demorar dias — Marty disse. —Vamos, Erin. Eu vou andando. Vem comigo?

Balancei a cabeça e cruzei os braços com força.

—Não. Vou ficar aqui.

Sabia que ele não iria sozinho. Sabia que ele não iria se eu não fosse com ele.

—Bem, então, tchau — ele se virou e começou a andar apressado pela caverna.

—Ei, Marty…?

—Tchau. Não vou ficar o dia todo aqui esperando. Até mais.

Ele estava indo embora de verdade! Ia me abandonar lá sozinha dentro daquela caverna apavorante!

—Marty, espere!

Ele se virou para mim.

—Você vem ou não vem, Erin? — perguntou impaciente.

—Está bem — murmurei.

Vi que não tinha escolha. Acabei pulando para fora do carrinho.

O chão da caverna era macio e úmido. Andei devagar até o Marty.

—Anda logo, vamos sair daqui — ele me apressou.

Olhei para o Marty, que vinha caminhando na minha direção. E congelei de tanto pavor.

—Não me olhe assim! — ele gritou. — Não fique me encarando como se eu estivesse fazendo algo de errado!

Mas eu não estava olhando para o Marty. Olhava era para a coisa surgindo atrás dele.

— AH... AH... AH... — tentei alertar o Marty, porém só saíam gemidos da minha garganta.

Ele se afastava e se aproximava da criatura gigantesca.

— Erin, anda logo. O que foi?

— Ah... ah... ah... — apontei.

— O quê?

Marty se virou e também viu a criatura.

— Uau! — gritou, e seus tênis rangeram quando ele correu de volta para mim. — O que é isso?

À primeira vista, achei que fosse algum tipo de máquina. Parecia um daqueles guindastes altos de aço que a gente vê em obras, todo prateado e metálico.

Entretanto, quando se apoiou nas pernas traseiras, finas como fios, vi que a coisa estava viva!

Tinha olhos negros redondos do tamanho de uma bola de sinuca que giravam loucamente no crânio de prata. Duas antenas delgadas balançavam no topo da cabeça. A boca parecia macia e carnuda. Além disso, uma língua cinza se mexia entre os longos bigodes eriçados.

Seu corpo comprido se esticava para trás como uma folha dobrada. Na pose em que se encontrava, as pernas dianteiras, que pareciam uns pauzinhos brancos, ficavam se mexendo o tempo todo.

O monstro parecia uma criatura bizarra feita de pau. As compridas pernas traseiras se curvavam e se estendiam para a frente repetidas vezes. A língua grossa se movia de um lado para o outro. Os olhos pretos pararam de se revirar e se fixaram em mim.

— É um... um gafanhoto? — Marty perguntou gaguejando.

Nós tínhamos recuado até o carrinho.

A criatura se aproximou, abanando os braços finos. As antenas giravam devagar no topo da cabeça.

Nós nos espremamos contra a parede gelada da caverna. Não havia como chegarmos mais para trás.

— Acho que é um louva-a-deus — Marty respondeu, encarando-o.

O inseto era pelo menos umas três vezes maior que a gente. Sua cabeça quase batia no teto quando ele andava.

A língua lambia os lábios macios e carnudos. A boca se retraía e emitia sons, como se a criatura estivesse sugando algo. Meu estômago ficou embrulhado. Aquele barulho era nojento!

Os olhos negros redondos nos encaravam. O louva-a-deus gigante deu mais um passo na nossa direção, seu corpo brilhando como alumínio. Então, começou a abaixar a cabeça.

— O que ele vai fazer? — perguntei, pressionando as costas com força contra a parede da caverna.

De repente, para minha surpresa, o Marty começou a rir.

Eu me virei e me apoiei no seu ombro. Será que ele estava ficando doido?

— Marty, você está bem?

— Claro — respondeu.

Ele se afastou de mim e chegou mais perto do inseto enorme.

— A gente não deveria ficar com medo, Erin. É só um robô programado para andar até o carrinho.

— O quê? Mas, Marty…

— É tudo controlado por computador, não é de verdade. Faz parte do passeio.

Olhei para a criatura. Algumas gotas de saliva escorriam pela língua inchada e caíam no chão.

— Parece… ahn… bem real — sussurrei.

— Seu pai é muito bom em construir essas coisas! E como caprichou no louva-a-deus! Ele disse que o tour ainda tem uns defeitos, certo? Com certeza, esse não é um deles! Ficou perfeito!

O inseto esfregou as patas da frente, produzindo um ruído estridente e agudo.

Tapei os ouvidos. Aquele barulho fez meus tímpanos doerem!

Ainda estava com as mãos nas orelhas quando um segundo louva-a-deus gigante saiu de trás de uma pedra alta.

– Olha! Tem outro! – Marty gritou, apontando e segurando o meu braço. – Nossa, eles se mexem tão perfeitamente! Nem dá pra perceber que são máquinas.

As duas criaturas prateadas produziam um som alto, agudo e metalizado. Seus olhos negros se reviravam, e suas antenas giravam enlouquecidamente.

Poças de saliva se formaram no chão. O segundo louva-a-deus abriu as asas que tinha nas costas, mas as fechou rapidamente.

– Que robôs legais! – Marty disse, se virando para mim. – Melhor voltarmos para o carrinho. Ele deve voltar a funcionar agora que já vimos esses bichos gigantescos.

Os dois insetos se aproximavam cada vez mais.

– Espero que você esteja certo – falei. – Essas criaturas são reais até demais. Quero sair daqui!

Segui Marty em direção ao carrinho.

Mas o primeiro louva-a-deus deu um pulo para a frente e se meteu entre nós e o veículo, impedindo nossa passagem.

– Ei! – gritei.

Tentamos passar pelo lado, mas ele nos impediu novamente.

– Ele… ele não vai deixar a gente passar! – falei gaguejando.– Ahhh! – gritei ao ver o inseto se abaixar de repente e bater a cabeça no meu peito.

A cabeçada me empurrou para trás.

– Ei, pare! – ouvi o Marty gritar. – Essa máquina deve estar com algum problema!

O louva-a-deus abaixou a cabeça mais uma vez e me empurrou de novo, mais para o centro da caverna.

O outro se movia rapidamente para encurralar o Marty, se preparando para bater nele. Mas o meu amigo foi mais rápido e se afastou, protegendo-se com os braços como se fossem um escudo. Em seguida, correu para perto de mim.

Ouvi um barulho de algo sendo raspado e os sons agudos que os insetos faziam.

Então, me virei e vi outros dois louva-a-deus enormes e feiosos saindo de trás das pedras. E depois mais dois, com as antenas rodando como loucas e a língua inchada se debatendo na boca aberta.

Marty e eu estávamos encurralados pelas criaturas no meio da caverna. Elas babavam, e seus olhos pretos brilhavam.

— Estamos cercados! – gritei.

OS INSETOS gigantes começaram a esfregar as patas dianteiras empolgadamente, todos ao mesmo tempo. O barulho agudo ressoava pela caverna, ecoando pelas paredes de pedra.

Eles formaram um círculo ao nosso redor, se apoiando nas pernas traseiras, se aproximando cada vez mais, fechando a roda. As poças de saliva continuavam se formando no chão.

— Eles estão descontrolados! – Marty gritou.

— O que será que vão fazer conosco? – choraminguei, tapando as orelhas por causa do barulho ensurdecedor que faziam.

—Talvez sejam controlados por voz.

Marty empinou a cabeça e gritou bem alto:

— Parem! Parem!

Um deles inclinou a cabeça prateada, abriu a bocona horrorosa

e cuspiu algo preto, que caiu no tênis do Marty.

O tênis ficou preso no chão.

— Eca! Cuidado! Essa coisa preta parece cola! — ele gritou.

TOFT.

Outro louva-a-deus escancarou a boca e cuspiu mais um bocado daquela gosma preta grudenta, que caiu bem no meu ombro.

— Ecaaaa! — gritei.

Aquilo era tão quente que passou pela camisa e me queimou.

Os outros bichos continuavam a emitir aquele som agudo e a esfregar os braços finos e peludos. Depois, começaram a abaixar a cabeça na nossa direção, com a língua se movendo para a frente e para trás.

— As pistolas paralisadoras! — lembrei, segurando o braço do Marty. — Talvez funcionem contra esses insetos!

— Elas são de brinquedo! — gritou.

TOFT.

Outra poça preta quase acertou o pé dele.

— Além do mais, estão no carrinho — continuou, encarando as criaturas horrendas. — E esses bichos não vão deixar a gente passar de jeito nenhum.

— Então o que vamos fazer?

Uma idéia me passou pela cabeça ao fazer a pergunta.

— Marty... — sussurrei. — Como é que geralmente a gente se livra de insetos?

— O quê? Do que você está falando, Erin?

— Pisando neles, certo? A gente geralmente pisa neles, né?

— Mas, Erin, esses bichos são grandes o bastante pra pisar em nós!

— Vale a pena tentar!

Levantei o tênis e pisei o mais forte possível no pé do louva-a-deus mais próximo. Ele deixou sair um silvo agudo e pulou para trás.

Marty começou a pisar em outro, afundando o calcanhar com toda

a força no pé do bicho, que também se afastou, gemendo de dor.

Pisei com força de novo. O enorme louva-a-deus tombou para o lado, emitindo um barulho rouco, como se estivesse sufocando. Suas quatro patas finas se agitavam no ar.

– Vamos! – gritei.

Eu me virei e corri pelo meio do círculo formado pelas criaturas. Não sabia direito o que fazer. Só sabia que tinha que fugir.

A caverna foi tomada por silvos agudos e enfurecidos. Vi o Marty correndo atrás de mim.

Ignorei os sons e corri mais rápido ainda em direção ao carrinho. Ao chegar, me debrucei na lateral e peguei as duas pistolas paralisadoras de plástico. Depois, me afastei do caminho e dei de cara com a parede de pedra.

Para onde eu poderia ir? Como poderia escapar?

O barulho aumentava, ficando mais frenético. As sombras altas dos insetos gigantes dançavam nas paredes. Sentia que elas poderiam se esticar e me pegar.

Olhei para trás. Marty vinha correndo em alta velocidade. Os louva-a-deus pulavam, mancando e arranhando o chão atrás de nós.

Fugir para onde?

Foi aí que vi a abertura estreita na parede da caverna. Na verdade, era só uma rachadura.

Mas era ali mesmo que eu ia tentar. Deslizei para dentro dela e me espremi naquele buraco escuro entre as pedras. Saí do outro lado, na luz nebulosa do dia.

Fora da caverna!

Via as árvores balançando na colina e a estrada que dava nos prédios dos estúdios.

"Uhú! Consegui!"

Eu estava tão feliz, me sentia tão segura!

Mas essa sensação não durou muito.

Enquanto começava a recuperar o fôlego, ouvi o Marty gritar

de pavor.

— Erin, socorro! Socorro! Eles me pegaram! Estão me devorando!

ENGOLI em seco.

Como ia ajudar o Marty? Como podia tirá-lo da caverna?

Mas, para minha surpresa, quando me virei, ele estava encostado na parede, do lado de fora da caverna. E tinha um sorriso irônico enorme no rosto.

— Peguei você de novo!

— AAAAAAAHHHHHH!!!! — gritei com muita raiva.

Deixei cair as duas pistolas de plástico e voei para cima dele, pronta para socá-lo.

— Seu idiota! Quase morri de susto!

Ele riu, se esquivando enquanto eu tentava bater nele. Acabei socando o ar.

— Chega dessas suas brincadeiras imbecis! — gritei mal conseguindo respirar. — Este lugar é muito assustador! Aqueles insetos...

— É, eram apavorantes — concordou, e o sorriso desapareceu — Pareciam tão reais! Como será que fizeram pra eles cuspirem daquela forma?

Balancei a cabeça.

— Sei lá... — murmurei.

Estava com o estômago revirado. Sabia que parecia loucura, mas e se aqueles monstros fossem de verdade?

Não, impossível. Talvez eu tivesse assistido a muitos filmes de

terror, só isso. Mas aqueles louva-a-deus, e as minhocas brancas, e todas as outras criaturas pareciam estar realmente vivos.

Elas não se movimentavam de modo mecânico. Pareciam respirar e nos encaravam como se pudessem mesmo nos ver.

Queria dizer ao Marty o que eu estava pensando. Mas sabia que, se contasse, ele ia rir de mim.

Ele tinha certeza absoluta de que eram robôs e de que estávamos diante de efeitos especiais maravilhosos usados em filmes. Claro que isso era o que mais fazia sentido, afinal, era um passeio de um estúdio cinematográfico.

Torcia para o Marty estar certo, para que tudo não passasse de um truque, da famosa magia do cinema.

Meu pai era um gênio na construção de criaturas mecânicas e atrações de parques temáticos. Talvez fosse isso o que estávamos vendo. Talvez ele tivesse feito o seu melhor trabalho desta vez.

No entanto, aquela sensação no meu estômago não sumia de jeito nenhum. Sentia que havia algum perigo ali. Perigo de verdade.

Sentia que algo estava errado, fora de controle.

De repente, me peguei desejando que não tivéssemos sido os primeiros a fazer o passeio. Sei que deveríamos nos sentir honrados por sermos os únicos no tour, mas estava tudo muito calmo, muito vazio, muito assustador. Seria muito mais divertido se tivesse mais gente conosco.

Queria dizer tudo isso ao Marty. Mas como? Ele estava sempre a fim de provar que era mais corajoso que eu e que não tinha medo de nada. Não podia dizer para ele o que eu estava realmente pensando.

Peguei as duas pistolas paralisadoras e entreguei uma para ele. Não queria carregá-las sozinha.

Marty enfiou o cano da arma no bolso da calça jeans.

— Erin, olha só onde estamos! — ele gritou, passando por mim com os olhos fixos à frente. — Dá uma olhada!

Ele começou a correr pela grama. Eu me virei e o segui. Não

queria que fosse para muito longe.

O céu havia escurecido. O sol tinha desaparecido atrás de um manto de nuvens. Os resquícios da neblina cinzenta ainda pairavam no ar fresco. A tarde caía, e era quase noite.

Chegamos a uma cidadezinha ao cruzar uma estrada. Na verdade, era o cenário de uma cidade com prédios baixos, de um ou dois andares, lojinhas e casas grandes e antigas.

— Você acha que esse é um dos cenários que eles usam nos filmes? — perguntei, me apressando para alcançar o Marty.

Ele se virou, com os olhos brilhando de animação.

— Não reconheceu? Sabe onde estamos?

Nesse momento, meu olhar pousou na velha mansão caindo aos pedaços e meio escondida por árvores estranhas. Em frente a ela, do outro lado da rua, vi a cerca de madeira torta que rodeava o antigo cemitério.

Aí, eu entendi: estávamos na Rua Shock.

— Uau! — exclamei, tentando reparar em tudo de uma só vez. — A gente está na Rua Shock de verdade! Foi aqui que fizeram todos os filmes!

— Não era assim que eu imaginava essa rua. É mais assustadora do que eu pensei — Marty disse.

Ele tinha razão. Umas sombras altas se projetavam nos prédios vazios. O vento fazia um barulho sussurrante ao passar pelas esquinas.

Começamos a andar pela rua, prestando atenção em absolutamente tudo. Íamos de um lado para o outro, espiando as vitrine das lojas escuras e empoeiradas, observando as casas velhas e carcomidas.

— Olha só aquele terreno baldio — apontei. — Era lá que o Mutilador Maluco ficava. Lembra? No Choque III? Lembra que ele mutilava qualquer um que se aproximasse?

— Claro que lembro — Marty respondeu.

Em seguida, ele partiu em direção ao terreno, onde ervas daninhas cresciam e se curvavam por causa do vento. Sombras se

projetavam na cerca.

Fiquei na calçada e forcei a vista para tentar ver o que as produzia. Será que o Mutilador Maluco ainda espreitava o lugar?

O terreno estava completamente deserto. Então como podia haver sombras altas e trêmulas se projetando na cerca?

— Marty, volte aqui — pedi. — Está escurecendo.

— Está com medo, Erin?

— É só um terreno baldio. Vamos continuar andando.

— As pessoas sempre acham que é só um terreno baldio — ele falou com uma voz baixa e assustadora. — Até que o Mutilador Maluco pula em cima delas! — continuou, deixando escapar uma risada maligna.

— Marty, você está ficando louco — murmurei, balançando a cabeça.

Nós atravessamos a rua.

— Bem que eu queria ter uma câmera agora. Queria tirar uma foto minha perto da casa do Mutilador Maluco. Ou, melhor ainda... — seus olhos se iluminaram.

Ele não terminou a frase. Em vez disso, saiu correndo em alta velocidade.

— Ei, espere aí! — gritei.

Percebi para onde ele tinha ido alguns segundos depois: para o antigo cemitério, direto para o portão de madeira quebrada e descascada.

— Ou, melhor ainda, queria uma foto minha no cemitério.

— A gente não trouxe câmera! Saia já daí! — gritei da rua.

Ele me ignorou e começou a abrir o portão. A parte de baixo ficou presa na grama, e Marty o empurrou forte. O portão rangeu e chiou ao se mover.

— Vamos, Marty — insisti. — Está ficando tarde. Meu pai deve estar esperando a gente e imaginando o que aconteceu.

— Mas isso faz parte do passeio! — falou.

Ele conseguiu abrir uma brecha no portão suficiente para poder passar.

— Marty, por favor! Não entre! — implorei, tentando alcançá-lo.

— Erin, é só um cenário! Nossa, você não era tão covarde assim!

— É… é que estou com um mau pressentimento em relação a esse cemitério. Um mau pressentimento muito forte.

— Faz parte do passeio!

— Mas o portão estava fechado! Se estava fechado, era pras pessoas não entrarem!

Olhei bem para o cemitério e vi os túmulos amontoados, como se fossem dentes tortos.

Marty ignorou totalmente os meus apelos. Empurrou o portão mais um pouco e deslizou para dentro.

— Marty, por favor! — insisti, me agarrando com força na cerca e vendo-o se afastar.

Ele deu três passos em direção aos túmulos velhos. E então desapareceu.

EU ENCARAVA a escuridão à minha frente.

Engoli em seco. Uma, duas vezes.

Não podia acreditar que ele tinha sumido tão rápido.

O vento soprava entre as lápides irregulares e enviesadas.

— Marty… — chamei com a voz saindo em um suspiro. — Marty!

Estava segurando as estacas da cerca com tanta força que minhas

mãos estavam até doendo. Sabia que não tinha escolha. Tinha que entrar lá e descobrir o que havia acontecido.

Respirei fundo e me espremi pela abertura do portão. O chão era macio. Meus tênis afundaram na grama alta.

Dei um passo. E depois outro. Parei ao ouvir a voz do Marty.

— Ei, cuidado!

— O quê?! — exclamei, olhando em volta. — Onde você está?

— Aqui embaixo!

Olhei para baixo e vi um buraco fundo e escuro. Era um túmulo aberto. Marty me olhava lá de dentro, com terra nas bochechas e na camiseta. Ele esticou as duas mãos.

— Eu caí, me ajuda!

Tive que rir. Ele estava ridículo naquele buraco, coberto de terra.

— Não tem a menor graça. Vai logo, me ajuda — repetiu impaciente.

— Eu bem que avisei que estava com um mau pressentimento.

— Tem um cheiro horrível aqui embaixo!

Eu me inclinei.

— Cheiro de quê? — perguntei.

— De terra. Anda, me tira daqui!

— Está bem, está bem.

Segurei suas mãos e o puxei. Ele balançou os pés e cravou os tênis na terra fofa para conseguir subir.

Alguns segundos depois, estava de volta ao meu lado, se limpando freneticamente.

— Que legal! Agora posso dizer pra todo mundo que estive num túmulo do Cemitério da Rua Shock!

Senti um frio na espinha quando o vento passou.

— Vamos sair daqui — pedi.

Havia uma coisa acinzentada flutuando em silêncio entre duas

lápides velhas. Seria um rastro de neblina? Um gato cinza?

– Olha só esses túmulos – Marty disse, ainda espanando a terra da calça jeans. – Estão rachados. Nem dá pra ler os nomes. Que legal! E olha como espalharam as teias de aranha por cima daquelas pedras. Assustador, né?

– Podemos ir, Marty? – implorei de novo. – Meu pai já deve estar superpreocupado. Talvez o carrinho tenha voltado a funcionar, vamos atrás dele.

Mas o Marty nem prestou atenção no que eu disse. Debruçou-se sobre uma lápide para ler o que estava escrito.

– João Fedd Ido, 1840 a 1887 – leu em voz alta rindo. – João Fedd Ido. Sacou? E olha só aquelas outras. Ben Doydo. Marcos Marcado. Esses nomes são muito engraçados!

Eu ri. Tinha que admitir: Ben Doydo e João Fedd Ido eram realmente engraçados.

Parei de rir ao ouvir um grito baixinho vindo dos fundos do cemitério. Vi outro rastro cinza atrás de uma lápide.

Prendi a respiração e ouvi com atenção. O vento uivava através da grama alta. Porém, consegui escutar outro grito agudo ao longe.

Será que era um gato? Será que havia muitos gatos no cemitério? Ou seria uma criança?

Marty também ouviu os mesmos sons e veio passando pela fila de pedras até ficar ao meu lado. Seus olhos pretos brilhavam de tanta empolgação.

– Que legal! Escutou esses efeitos? Deve ter uma caixa de som escondida no chão.

Outro grito estridente. Era de uma pessoa, com certeza. Talvez de uma menina?

Tremi.

– Marty, de uma vez por todas, a gente devia tentar voltar e encontrar o meu pai. Ficamos aqui a tarde toda. E…

– Mas e o resto do passeio? A gente tem que ver tudo!

Ouvi outro grito, mais alto e mais perto. Um grito de pavor.

Tentei ignorá-lo. Marty deveria estar certo, os gritos provavelmente vinham de caixas de som escondidas em algum lugar.

— E como a gente vai terminar o tour? — perguntei. — A gente devia ter ficado no carrinho, lembra? Mas ele... AAAHHH!!!

Gritei apavorada ao ver uma mão verde sair do chão à nossa frente, com os dedos compridos esticados, como se estivessem tentando nos pegar.

— Uau! — Marty gritou, chegando para trás.

Outra mão verde saiu de dentro da terra. E depois mais duas.

Eu estava completamente apavorada. Havia mãos saindo do chão por todo o lugar. Os dedos se retorciam tentando nos agarrar.

Marty começou a gargalhar.

— Isso é muito legal! Igualzinho ao que acontece no cinema!

Mas ele parou de rir ao sentir uma mão sair da terra bem ao seu lado e agarrar seu tornozelo.

— Erin, socorro! — gritou.

Mas eu não podia ajudá-lo.

Duas mãos verdes tinham agarrado meus tornozelos e estavam me puxando para o túmulo.

16

— **VEEEEEEEEEEEEEEENHAM...** — uma voz suave sussurrou. — Venham conooooooooooooooosco...

— Nãããããoooo! — gritei.

Meus braços se agitavam no ar. Tentei chutas as mãos, mas elas me apertavam tão firme que não consegui. Meu corpo inteiro se

contorcia e se curvava para a frente e para trás enquanto eu lutava para não cair. Se caísse, sabia que iam agarrar as minhas mãos também e me puxar para dentro da terra.

— Veeeeeeeeeeeeeenham… Venham conooooooooooooosco…

Não era brincadeira. Aquelas mãos eram de verdade e estavam realmente tentando me puxar para baixo.

— Socorro! Ah, socorro! – ouvi o Marty gritar.

E então o vi tombar. Ele perdeu o equilíbrio e caiu de joelhos na grama.

Duas mãos agarraram seu tornozelo, e mais um par saiu do chão para segurar seus pulsos.

— Veeeeeeeeeeeenham… Venham conooooooooooooosco… – a voz continuava sussurrando.

— Nãããããããããoooooo! – gritei mais uma vez, me revirando como uma louca desesperada.

Para a minha surpresa, consegui me libertar. Olhei para baixo e vi que um dos meus pés estava afundado na grama fofa. Meu tênis tinha saído. A mão ainda o segurava, mas meu pé estava livre.

Eu me abaixei para tirar o outro tênis dando gritos de alegria. Estava livre. Livre!

Quase sem fôlego, me curvei e tirei as meias rapidamente. Ia ser mais fácil correr completamente descalça, sem nada nos pés. Joguei-as longe. Depois, corri para ajudar o Marty.

Ele estava caído de bruços, com a barriga no chão. Havia seis mãos em cima dele, pressionando-o contra o solo, puxando-o com bastante força. Seu corpo todo tremia e se revirava. Ele levantou a cabeça quando me viu.

— Erin, me ajuda!

Eu me ajoelhei e tirei seus tênis, que as mãos verdes continuaram apertando. Com os pés livres, Marty tentou ficar de joelhos.

Peguei uma das mãos e arranquei-a do pulso dele. Ela me deu um tapa. Um tapa tão gelado e forte que me fez urrar de dor.

Ignorando tudo isso, peguei outra mão verde. Marty rolou livre pela grama. Depois, conseguiu se levantar, gemendo, tremendo, com a boca aberta e os olhos arregalados.

— As meias... — gritei sem fôlego. — Tire as meias! Rápido!

Ele obedeceu desajeitadamente.

As mãos tentavam nos alcançar a todo custo. Dezenas delas se esticavam para fora da terra. Centenas saíam da grama alta do cemitério e tentavam nos pegar.

— Veeeeeeeeeeeeeenham... Venham conoooooooooooooosco... — várias outras vozes se juntaram à primeira num coral subterrâneo.

Marty e eu congelamos. As vozes suaves e tristes pareciam me hipnotizar. De repente, senti as pernas tão pesadas que pareciam de pedra.

— Veeeeeeeeeeeenham... Veeeeeeeeeeeeeeeeeeeenham...

Então vi uma cabeça verde careca surgir de dentro do solo. E outra. E mais outra. As órbitas estavam sem olhos, e as bocas, escancaradas e sem dentes.

Vi também ombros e depois braços. E mais cabeças aparecendo. Corpos de um verde brilhante pularam de dentro do chão.

— Ma... Marty... — gaguejei. — Eles vieram pegar a gente!

GRUNHIDOS e gemidos ressoavam no cemitério conforme as horrendas criaturas verdes se levantavam da terra.

Dei uma última olhada naquelas roupas esfarrapadas e maltrapilhas, nas órbitas vazias e nas bocas desdentadas. Depois saí correndo.

Marty e eu voamos lado a lado pela grama alta entre as fileiras de lápides tortas.

Meu coração saltava dentro do peito, minha cabeça latejava, meus pés descalços afundavam na terra fria, escorregando pelo gramado alto e úmido.

Marty foi o primeiro a chegar ao portão de madeira. Ele estava correndo tão rápido que se chocou contra a cerca. Deixou escapar um grito, mas logo se espremeu portão afora e saiu para a Rua Shock.

Eu ouvia os gemidos, sussurros e gritos sinistros daquelas criaturas verdes repulsivas atrás de mim. Porém, não me virei: me joguei em direção ao portão, passei raspando e o fechei logo em seguida.

Correndo pela rua, precisei parar para recuperar o fôlego. Eu me curvei e apoiei as mãos nos joelhos. Minha coluna doía. Eu puxava o ar com dificuldade, inspirando forte.

— Não pare! — Marty gritava loucamente. — Continue correndo, Erin!

Respirei fundo e o segui até o fim da rua. Nossos pés descalços se chocavam contra o asfalto.

Ainda podia ouvir os gemidos e gritos ao fundo, mas estava muito apavorada para olhar para trás.

— Onde está todo mundo, Marty? — perguntei quase sem ar.

A Rua Shock estava completamente deserta, com as casas e lojas todas escuras. Não deveria haver pessoas por ali? Afinal, estávamos em um grande estúdio de cinema. Onde estavam os funcionários dos Estúdios Choque? E os que trabalhavam nesse tour? Por que não havia ninguém para nos ajudar?

— Tem alguma coisa errada! — Marty gritou, correndo em alta velocidade.

Passamos pela Loja de Ferragens do Pavor e pela Eletrônicos da Cidade Choque.

— Os robôs estão descontrolados ou algo do tipo! — ele berrou.

Finalmente ele concordava comigo! Havia algo muito errado, sim!

— Temos que encontrar o seu pai! — ele disse, correndo para o próximo quarteirão cheio de casas apagadas — e dizer pra ele que tem algo errado com o passeio.

— Temos que achar o carrinho primeiro! — falei, tentando acompanhá-lo a todo custo. — Opa!

Bati o pé em algo duro. Uma pedra ou coisa parecida. Uma dor lancinante subiu pela minha perna. Mas continuei correndo, mancando.

— O carrinho vai nos levar até o meu pai! — gritei.

—Tem que haver um jeito de sair da Rua Shock. Afinal de contas, é só um cenário! — Marty disse.

Passamos por uma mansão alta com duas torres que parecia mais um castelo do mal. Não a reconheci de nenhum dos filmes da série.

Um pouco além dela, havia um grande pátio de terra vazio. Na parte de trás, tinha um muro baixo de tijolos, cerca de 30 ou 60 centímetros mais alto que Marty e eu.

— Vamos cortar caminho por aqui! — disse. — A gente deve conseguir ver a estrada do estúdio se subir neste muro.

Era só um palpite. Mas valia a pena tentar.

Ambos nos viramos para o terreno vazio. Meus pés descalços pisavam na terra fofa, fria e úmida. Nossos passos espirravam bastante lama enquanto corríamos para cruzar a área.

Conforme a lama ia ficando cada vez mais mole, eu tinha que puxar as pernas com mais força para não afundar nela. A lama gelada respingava nos meus tornozelos enquanto corria.

Estávamos quase chegando ao muro de tijolos quando caímos em um bueiro.

— Aaaaaaaaaaaaiiiiiiiii! — gritamos no momento em que o chão se abriu debaixo de nós.

A lama fazia um som nojento de gosma enquanto afundávamos. Joguei as duas mãos para cima para tentar segurar algo. Mas não

havia nada.

A lama me envolvia. Estava em toda a parte, nas canelas, nas pernas, nos joelhos.

Achava que ela estava me puxando para baixo. Tentei gritar de novo, mas havia ficado muda de tanto medo.

Olhei para o Marty do meu lado. Ele movimentava os braços freneticamente. Seu corpo todo se contorcia ao afundar. A lama já estava na cintura. E ele continuava afundando rapidamente.

Eu me debatia, tentando levantar os joelhos. Porém, estava presa. Presa e afundando cada vez mais na lama escura.

Meus braços levantados, que ainda tentavam segurar em algum lugar, estavam quase cobertos. Não havia mais nada que eu pudesse fazer. A lama chegava no meu pescoço. E eu continuava afundando rapidamente.

PRENDI a respiração. A lama chegava até o meu queixo. "Logo vai me cobrir", pensei. Um soluço de choro escapou da minha garganta.

A lama subia cada vez mais, para cima do queixo. Tive que começar a cuspir quando começou a entrar na minha boca.

De repente, senti algo puxando o meu braço. Eram mãos fortes que me seguravam pelas axilas. Elas me puxavam com mais força ainda.

Fui tirada da poça de lama movediça por alguém muito forte. A lama fez um "plop" quando consegui sair. Senti-a escorrendo pelo tronco, pelas pernas e pelos joelhos.

Quando dei por mim, estava na superfície, ainda sendo segurada

pelas duas mãos poderosas.

— Marty! — gritei, sentindo o gosto amargo da lama nos lábios. — Você está...?

— Estou aqui! — eu o ouvi responder. — Estou bem, Erin.

As mãos acabaram me soltando. Minhas pernas tremiam. Cambaleava um pouco, mas consegui me manter de pé.

Eu me virei para ver quem tinha me salvado e dei de cara com os olhos vermelhos de um lobo.

Era uma pessoa com o rosto de um lobo, mãos com garras longas cobertas de pêlo negro, um focinho comprido e marrom que deixava ver os dentes e orelhas pontudas saindo de um tufo grosso de pêlos pretos.

Era uma fêmea, que usava um collant prateado, brilhante e apertado. Enquanto eu a olhava boquiaberta, ela abriu a boca e deixou sair um rugido gutural. Logo a reconheci: era a Menina Loba!

Eu me virei para ver quem estava com ela: o Menino Lobo. Tinha sido ele que tinha tirado o Marty do buraco de lama. Marty tentava limpar o rosto, mas a única coisa que conseguia era espalhar ainda mais lama pelas bochechas.

—Você nos salvou! Obrigada! — gritei, finalmente encontrando forças para fazê-lo.

Os dois lobisomens rugiram em resposta.

— Perdemos o carrinho — expliquei para a Menina Loba. — Precisamos voltar, sabe? Voltar pra onde o passeio começou.

Ela deu um urro violento. Depois, abocanhou o ar com força.

— Por favor — supliquei. — Você pode nos ajudar a voltar pro carrinho? Ou nos levar até o prédio principal? Meu pai está me esperando lá.

Um lampejo passou pelos seus olhos vermelhos, e ela urrou de novo.

—A gente sabe que vocês são atores fantasiados — Marty falou

de forma estridente. — Mas não queremos mais tomar sustos. Já tivemos o suficiente por hoje. Está bem?

Os dois lobisomens rugiram. Um fio longo e branco de saliva se dependurava dos lábios pretos do Menino Lobo.

Então, perdi o controle.

— Parem! — gritei. — Parem já com isso! O Marty está certo! Não queremos mais sustos. Parem com esse lance de lobisomem e nos ajudem!

Eles soltaram outro rugido. A Menina Loba tentava morder algo. Pude vê-la lambendo os dentões irregulares com a língua comprida e rosa como se estivesse morta de fome.

— Já chega! — gritei. — Parem com isso! Parem! Parem!

Estava com tanta raiva, tão furiosa, que me estiquei e agarrei os pêlos na lateral da máscara da Menina Loba. Puxei-a com toda a força.

Puxei mais, com as duas mãos, o mais forte possível. E nada.

Parecia pêlo de verdade. E a pele estava quente.

Não era uma máscara.

– OHHH... — deixei escapar um suspiro, tirando depressa as mãos da criatura.

Os olhos vermelhos do lobisomem brilhavam. Seus lábios negros se separaram, e a língua lambeu de novo os dentes amarelos pontudos.

Eu tremia toda conforme me afastava do bicho, com as costas voltadas para o muro de tijolos.

— Ma... Marty... — gaguejei. — Ela não está usando máscara.

— O quê? — ele perguntou congelado de medo em frente ao

Menino Lobo.

— Não são atores — sussurrei. — Tem alguma coisa errada aqui. Muito errada mesmo.

Marty deu um passo para trás.

Os dois lobisomens rugiram baixinho e abaixaram a cabeça, como se estivessem se preparando para atacar.

— Você acredita em mim? — perguntei gritando. — Agora você acredita em mim?

Ele fez que sim com a cabeça, sem dizer uma palavra. Acho que estava apavorado demais para falar qualquer coisa.

As criaturas babavam. Seus olhos brilhavam como fogo no escuro, e elas arfavam.

Pulei para trás, em direção ao muro, quando os dois lobisomens levantaram a cabeça e uivaram de forma ameaçadora.

O que iam fazer conosco?

Segurei o Marty e o puxei para perto do muro.

— Vamos subir! — gritei. — Talvez eles não consigam nos alcançar lá em cima!

Ele pulou, esticando os braços. Suas mãos bateram no topo do muro, sem que ele pudesse se segurar. Tentou novamente. Agachou e pulou. Suas mãos chegaram à parte mais alta, mas ele não conseguiu se segurar de novo.

— Não consigo! É muito alto pra mim!

— A gente tem que conseguir! — gritei.

Eu me virei e vi as duas criaturas se apoiarem nas patas traseiras para saltar. Estavam rosnando e rugindo, com baba escorrendo pelos dentões ferozes.

— Suba! — gritei.

Quando o Marty pulou de novo, me agachei e segurei seus pés enlameados.

— Suba! — gritei novamente, empurrando-o para cima com força.

Marty conseguiu agarrar o topo do muro de tijolos e se segurar. Seus pés descalços balançavam no ar, e ele acabou conseguindo se arrastar para cima.

Chegando lá, ele se ajoelhou e virou para pegar minhas mãos. Dei um impulso e ele me puxou. Eu tentava enlouquecidamente subir e ficar do lado dele. No entanto, não conseguia trazer os joelhos para cima do muro.

Meus pés se agitavam freneticamente, enquanto meus joelhos se esfregavam no muro conforme o Marty me puxava.

– Não consigo! Não dá! – gritei.

Os lobisomens uivaram de novo.

– Continue tentando! – Marty falou, puxando os meus braços com toda a força.

Eu ainda tentava subir quando os dois monstros saltaram.

OUVI o barulho das dentadas deles e senti seu bafo quente na sola do meu pé.

Os dois lobisomens se chocavam contra o muro.

Consegui me arrastar até o topo, emitindo um grito desesperado, me forçando contra os tijolos, quase sem fôlego.

Virei para trás a tempo de ver as duas criaturas saltarem mais uma vez, tentando me morder e com os olhos vermelhos famintos me observando.

– Não! – gritei, ficando de pé.

Eles levantaram a cabeça e uivaram de novo, preparando-se para atacar mais uma vez.

Pularam. As garras arranharam o muro, produzindo um barulho agudo que me fez ficar arrepiada. Seus dentes morderam o ar.

Eles escorregaram e caíram, mas começaram a se preparar para saltar novamente, rosnando.

— Não podemos ficar aqui pra sempre! — Marty gritou. — O que vamos fazer?

Forcei a vista, tentando ver algo na escuridão. Será que era a estrada do estúdio do outro lado do muro?

Estava escuro demais para saber.

Os lobisomens pularam de novo. Seus dentes pontudos roçaram meu tornozelo.

Cheguei para trás e quase caí lá de cima.

Marty e eu nos esbarramos, com o olhar fixo nas duas criaturas, que se preparavam para dar outro salto.

A pistola! A pistola paralisadora de plástico!

Tinha deixado cair a minha. Ela devia estar enterrada naquele buraco de lama. Eu me voltei para a arma do Marty, cujo cano saía pelo bolso da calça. Puxei-a sem dizer nada.

— Ei! — gritou. — O que você vai fazer, Erin?

— Eles nos deram essas pistolas por algum motivo — expliquei gritando, tentando me fazer entender mesmo com os uivos assustadores quase abafando minha voz. — Talvez isso dê um jeito neles.

— É só um brinquedo!

Mas valia a pena tentar.

Talvez assustasse os lobisomens, ou os machucasse, ou até mesmo os espantasse.

Levantei a arma de plástico e a apontei em sua direção enquanto se agachavam para pular.

— Um, dois, três, FOGO!

Apertei o gatilho. Uma, duas, três, várias vezes!

A PISTOLA fez um barulho alto, emitindo um raio de luz amarela.

Torcia para que desse certo. "O barulho e o clarão vão distrair os monstros, pelo menos por uns minutos. Aí, poderemos escapar."

Continuei apertando o gatilho repetidas vezes. No entanto, os lobisomens continuaram avançando, nem pareciam surpresos.

Eles pulavam cada vez mais alto. Senti suas garras afiadas arranharem minha perna, me fazendo gritar de dor.

Com isso, a pistola de plástico acabou escorregando da minha mão. Quicou no topo do muro e depois caiu lá embaixo.

Era apenas um brinquedo mesmo. O Marty tinha razão. Não era uma arma de verdade.

— Olha só! — Marty gritou, enquanto os monstros continuavam tentando nos alcançar.

A garras arranhavam o muro, mas, desta vez, conseguiram se segurar. Vi uns olhos vermelhos me encarando. Depois, senti um bafo quente na pele.

— Ohhh…

Joguei os braços para o ar ao perder o equilíbrio e lutei para conseguir manter os joelhos retos.

Tentei me segurar no Marty, mas não consegui.

Então caí lá de cima, de costas no chão, com toda a força, do outro lado do muro.

Marty me olhava lá do alto. Estava morrendo de medo, no entanto acabou pulando e caindo ao meu lado.

Os dois lobisomens agora estavam no topo do muro, se preparando para descer.

Marty me botou de pé.

— Corra! — ele gritou desesperado.

Os monstros rosnavam atrás de nós.

Sentia o chão vacilar. Ainda estava meio tonta por causa da queda.

— A gente nunca vai conseguir correr mais rápido que eles! — falei.

De repente, ouvimos um estrondo. Nós nos viramos para ver o que era e vimos dois olhos amarelos brilhando no céu escuro.

Olhos amarelos de uma criatura que se aproximava cada vez mais. Não, não era um monstro. Ao chegar mais perto, vi que era algo comprido e lustroso.

Era o carrinho! Ele vinha balançando pela estrada com seus faróis amarelos.

Que sorte!

Eu me virei para o Marty. Será que ele tinha visto também? Logo percebi que sim.

Sem falar nada, começamos a correr rumo à estrada. O carrinho estava deslizando rápido. Tínhamos que dar um jeito de subir nele. Era o único modo de sairmos dali!

Ouvi os lobisomens uivarem atrás de nós e depois pularem do muro.

Os faróis amarelos vinham na nossa direção.

Os monstros rosnavam e grunhiam com raiva ao nos perseguir.

O Marty corria alguns metros à minha frente com a cabeça abaixada e as pernas se movendo violentamente.

O carrinho se aproximava mais e mais.

As criaturas estavam a apenas alguns centímetros da gente. Tão perto que quase podia sentir seu bafo quente na minha nuca.

Só mais um pouquinho, só mais um pouquinho para pularmos para dentro do carrinho...!

Eu o vi acelerar ao fazer uma curva, os faróis amarelos varrendo a estrada escura. Meus olhos estavam fixos na parte dianteira.

Respirei fundo e me preparei para saltar.

De repente, o Marty caiu.

Tinha tropeçado nos próprios pés e caído de barriga no chão.

Não consegui parar a tempo. Tropecei no seu corpo, caindo com força em cima dele.

Nesse momento, o carrinho passou bem perto de nós.

– **AUUUUUUUUUUUU!** — os lobisomens uivavam de felicidade.

Meu coração batia acelerado, mas consegui ficar de pé.

— Levanta! — gritei, puxando o Marty pelos braços.

Saímos em disparada atrás do carrinho. O último vagão andava apenas uns poucos metros à nossa frente.

Alcancei-o, esticando a mão direita e segurando na parte de trás.

Dei um impulso para cima e me joguei no último banco.

Ainda sem fôlego, me virei para ver onde o Marty estava. Ele corria atrás do carrinho com as mãos esticadas, tentando alcançá-lo.

— Não… não consigo! — falou ofegante.

— Corra! Você tem que correr mais rápido!

Mais atrás, vi as criaturas chegando cada vez mais perto.

Marty aumentou a velocidade. Agarrou a parte traseira do carrinho, que o arrastou por vários metros, até conseguir se jogar no assento ao meu lado.

"Ufa!", pensei alegremente. "Conseguimos! Escapamos daqueles lobisomens terríveis!"

Será mesmo? Será que não iam pular no carrinho também?

Eu me virei e os vi se afastarem ao longe. Meu corpo tremia de cima a baixo. Ainda correram um pouco, mas depois desistiram, derrotados e cansados, nos vendo ir embora.

Embora. Que palavra maravilhosa!

Marty e eu sorrimos um para o outro, vibrando de felicidade.

Respirávamos com dificuldade, ainda completamente sujos de lama. Minhas pernas doíam de tanto correr, meus pés latejavam, meu coração pulsava com força no peito por causa da perseguição implacável.

Porém, tínhamos conseguido escapar. Agora, estávamos a salvo, no carrinho, a caminho da plataforma onde o passeio havia começado. E onde o meu pai estaria nos esperando.

— Temos que dizer pro seu pai que este lugar tem um monte de problemas — Marty disse esbaforido.

— Tem algo muito errado aqui — concordei.

— Aqueles lobisomens não estavam pra brincadeira! Eram de verdade, Erin! Não eram atores fantasiados!

Fiz que sim com a cabeça. Fiquei muito feliz pelo Marty ter finalmente concordado comigo e por não estar mais fingindo que era corajoso. Tinha parado de dizer que tudo não passava de truques cinematográficos, efeitos especiais e robôs.

Sabíamos que tínhamos enfrentado perigos e monstros reais.

Havia alguma coisa muito errada nos Estúdios Choque. Meu pai tinha dito que queria um relatório completo. Bem, ele ia ouvir bastante!

Eu me recostei no banco, tentando relaxar. Mas meu sangue gelou ao perceber que não estávamos sozinhos.

— Marty, olha lá! — falei, apontando para a frente do carrinho. — Não estamos sozinhos!

Na verdade, todos os carrinhos pareciam estar ocupados.

— O que está acontecendo? — ele murmurou. — Seu pai disse que éramos as únicas pessoas no tour. E agora o carrinho está... OH!

Marty não terminou a frase. Ele engasgou, e seus olhos quase saltaram das órbitas.

Engasguei também.

Todos os outros passageiros se viraram ao mesmo tempo, revelando um sorriso irônico, o rosto sem olhos e os ossos acinzentados do crânio.

Esqueletos! Eram todos esqueletos!

Eles soltavam gargalhadas sinistras. Seus ossos chacoalhavam e faziam barulho quando levantavam as mãos esqueléticas amareladas para apontar para nós.

Seus crânios se mexiam e virbravam enquanto o carrinho deslizava cada vez mais rápido pela escuridão.

Marty e eu nos afundamos no banco. Estávamos tremendo e os observávamos apontar o dedo para a gente.

Quem eram? Como tinham subido no carrinho? Para onde estavam nos levando?

A VELOCIDADE do carrinho aumentou. Parecia que estávamos voando através da escuridão.

Eu me forcei a desviar o olhar das caveiras e examinar o que havia em volta. Vi os prédios baixos do estúdio atrás das árvores. Eles ficavam cada vez menores, até que desapareceram na escuridão da noite.

— Marty, não estamos voltando para a plataforma principal — falei baixinho. — Estamos indo na direção errada. A gente está se afastando dos prédios.

Ele engoliu em seco, e vi o pânico em seus olhos.

– O que vamos fazer? – perguntou.

– Temos que descer. Temos que pular.

Marty começou a se encolher no banco, o mais baixo possível. Acho que estava tentando se esconder dos esqueletos.

Em seguida, levantou a cabeça e espiou a lateral do carrinho.

– Não podemos pular, Erin! Estamos andando muito rápido!

Ele tinha razão. Parecíamos um foguete, e mesmo assim a velocidade continuava aumentando. As árvores e os arbustos formavam um borrão escuro.

Então, ao fazermos uma curva acentuada, apareceu um prédio alto bem no nosso caminho.

Era um castelo prateado, com vários spots de luz, duas torres iguaizinhas apontando para o céu e um muro de pedra beirando a estrada, que acabava no muro.

Continuamos zunindo por ela, cada vez mais velozes, em direção ao castelo.

Os esqueletos chacoalhavam, tremelicavam e gargalhavam de modo estridente e macabro, quicando nos bancos, com os ossos estalando, pulando animadamente enquanto voávamos rumo àquela construção.

Nós nos aproximávamos mais e mais. Bem em direção ao muro de pedra. Prestes a nos chocar contra ele.

MINHAS pernas tremiam e meu coração estava quase saltando pela boca. Porém, consegui dar um jeito de ficar em pé no assento.

Respirei fundo e segurei o ar. Depois, fechei os olhos e pulei.

Caí do lado em que eu estava e rolei.

Via o Marty hesitar. Ele acabou pulando e caindo para o lado, de barriga no chão. Em seguida, saiu rolando.

Parei embaixo de uma árvore. Ao me virar para o castelo, vi o carrinho atravessar o muro sem emitir um som sequer.

No silêncio absoluto.

Outros carrinhos vieram em seguida e também foram de encontro ao muro, atravessando-o sem fazer nenhum barulho.

Alguns segundos depois, um silêncio sepulcral tomou conta da estrada. As luzes no muro do castelo enfraqueceram.

– Você está bem, Erin? – Marty perguntou fraco.

Ele estava engatinhando do outro lado da estrada. Consegui ficar de pé. Eu tinha arranhado a parte lateral do corpo, mas até que não estava doendo tanto.

– Está tudo bem – falei, apontando para o castelo. – Você viu aquilo?

– Vi – ele respondeu, se levantando devagar. – Mas como foi que o carrinho atravessou o muro? Será que o castelo não está lá? Será que é uma ilusão de óptica? Uma espécie de truque?

– Só há um modo de descobrir.

Seguimos um ao lado do outro pela estrada. O vento agitava as árvores, que pareciam sussurrar ao nosso redor. Meus pés descalços sentiam a frieza do asfalto.

– Temos que achar meu pai – falei baixinho. – Tenho certeza de que ele tem uma explicação lógica pra tudo isso.

– Espero que sim – Marty murmurou.

Ao chegarmos bem perto do muro, estiquei as mãos para ver se elas o atravessariam. No entanto, o que senti foi a pedra gelada do castelo.

O Marty também fez um teste. Ele correu e se jogou contra o muro, machucando um pouco o ombro.

– É bem sólido – ele disse, balançando a cabeça. – É um muro de verdade. Então como será que o carrinho o atravessou?

73

— Era um carrinho fantasma — sussurrei, esfregando a mão na parede fria. — Um carrinho fantasma cheio de esqueletos.

— Mas a gente andou nele! — Marty exclamou.

Soquei o muro com ambas as mãos e me afastei.

— Já estou cansada desses mistérios! — gritei. — Cansada de tomar susto! Cansada de lobisomens e outros monstros! Nunca mais vou ver filmes de terror na vida!

— Seu pai vai explicar tudo pra gente. Tenho certeza.

— Não quero explicação nenhuma! Só quero é sair daqui! — gritei.

Depois dessa explosão de raiva, demos uma volta pela lateral do castelo. Dava para ouvir uns uivos estranhos atrás de nós. De repente, uma risada macabra irrompeu pelos ares, em algum lugar acima da gente.

Preferi ignorar os barulhos. Não queria nem saber se vinham de monstros reais ou de mentira. Não queria nem pensar nas criaturas abomináveis que tínhamos encontrado.

Na verdade, eu não queria pensar e ponto.

A estrada apareceu de novo nos fundos do castelo.

— Espero que a gente esteja na direção certa — murmurei, acompanhando-a com os olhos.

— Eu também — Marty respondeu com uma voz fraca.

Apertamos o passo, andando rápido pelo meio da estrada. Tentávamos não prestar atenção nos gritos ferozes dos animais, nas gargalhadas estridentes, nos uivos e gemidos que pareciam nos seguir o tempo todo.

A estrada começou a se transformar em uma ladeira tão íngreme que precisamos nos inclinar para subir. Mesmo estando cada vez mais alto, ainda podíamos ouvir os sons assustadores.

Ao nos aproximarmos do topo, vi vários prédios baixos.

— Marty, olha! A gente deve estar no caminho certo pra plataforma principal!

UM CHOQUE NA RUA SHOCK

Comecei a correr em direção aos prédios. O Marty veio galopando logo atrás de mim. Ambos paramos ao perceber que estávamos de volta na Rua Shock. Havíamos andado em círculo.

O Cemitério da Rua Shock ressurgiu após passarmos as lojinhas e casas antigas. Ao olhar para a cerca, me lembrei das mãos verdes saindo do chão e nos puxando para baixo.

Meu corpo estremeceu inteiro. Eu não queria ter voltado. Jamais queria ter visto essa rua horripilante de novo.

Porém, não conseguia me afastar do cemitério. Vi algo se mexer enquanto observava as lápides velhas do outro lado da rua.

Parecia uma nuvenzinha cinza flutuando entre duas lápides tortas, pairando em silêncio no ar.

De repente, outro chumaço acinzentado surgiu do chão. E mais outro.

Olhei para o Marty. Ele estava ao meu lado, com as mãos na cintura e o olhar fixo. Estava vendo a mesma coisa.

As nuvens cinza se levantavam sorrateiramente, como bolas de neve ou algodão. Dúzias delas nasciam dos túmulos, flutuando pelo cemitério e pairando baixo em direção à rua.

Então elas começaram a crescer, a inflar como balões.

Vi rostos dentro delas. Rostos escuros, delineados pelas sombras, franzindo a testa para nós. Rostos velhos, cheios de rugas e vincos, com os olhos tão pequenos que pareciam fendas. Rostos carrancudos e zombeteiros dentro dos chumaços brancos.

Segurei no ombro do Marty. Eu queria fugir, escapar, sair de baixo deles.

Mas a névoa de rostos malignos se espalhava ao nosso redor como fumaça, nos encurralando.

Os rostos feios e zangados giravam à nossa volta. Giravam cada vez mais rápido, nos prendendo no nevoeiro sufocante.

25

FECHEI OS olhos.

Eu estava congelada de tanto pavor. Não conseguia pensar nem respirar.

Ouvia o vento assobiando enquanto as nuvens fantasmagóricas nos rodeavam.

De repente, no meio disso tudo, escutei a voz de um homem se sobressair.

— Corta! Valeu! Ficou ótimo, pessoal!

Vagarosamente, abri os olhos. Todo o ar que eu estava prendendo nos pulmões saiu de uma só vez.

O dono da voz veio andando na nossa direção. Ele usava calça jeans, um blusão cinza com uma jaqueta marrom por cima e um boné azul e branco de onde saía um rabo-de-cavalo louro.

Também carregava uma prancheta e tinha um apito prateado pendurado no pescoço. Ele sorriu para a gente e esticou os polegares em sinal de positivo.

— E aí, pessoal? Meu nome é Russ Denver. Bom trabalho! Parecia até que vocês estavam assustados de verdade!

— O quê? — gritei. — Mas nós estávamos assustados de verdade!

— Nossa, que bom ver uma pessoa real! — Marty gritou.

— Esse tour está completamente doido! — reclamei. — As criaturas estão vivas! Elas tentaram nos machucar! É sério! Não foi nem um pouco legal! Não parecia um passeio!

As palavras saíam de dentro de mim uma por cima da outra.

— Foi horrível! Os lobisomens tentaram morder a gente! — Marty contou assustado.

Começamos os dois a falar ao mesmo tempo, narrando para

o tal de Denver todas as coisas tenebrosas que tinham acontecido durante o passeio.

— Opa! Espera aí! — ele disse sorrindo, levantando a prancheta como se precisasse se proteger de nós. — Eram só efeitos especiais. Ninguém disse pra vocês que estávamos filmando? Que estávamos gravando as suas reações?

— Não, ninguém falou nada! — respondi com raiva. — Foi o meu pai quem trouxe a gente aqui. Foi ele que projetou o passeio e disse que nós éramos os primeiros a fazer esse passeio. Mas não falou nada sobre nenhum filme. Eu acho que...

Senti as mãos do Marty no meu ombro, tentando me acalmar. Porém, eu não queria ficar calma. Estava muito zangada.

O Russ Denver se virou para a equipe atrás dele.

— Pausa de trinta minutos para o jantar, pessoal.

Eles se afastaram, conversando entre si. Depois, Denver se voltou para nós.

— Seu pai deveria ter explicado que...

— Tudo bem. É sério — Marty o interrompeu. — É que a gente ficou meio assustado. As criaturas pareciam muito reais. E, além disso, não vimos mais ninguém em todo o tour. Você é a primeira pessoa que a gente viu durante toda a tarde.

— O meu pai deve estar bastante preocupado. Ele falou que esperaria a gente na plataforma principal. Você sabe como podemos chegar lá?

— Sem problemas — Denver respondeu. — Estão vendo aquela casa com a porta aberta?

Marty e eu olhamos para a direção que ele indicava. Havia um caminho estreito que ia dar na casa. Uma luz pálida amarela brilhava lá dentro.

— Aquela é a Casa dos Choques do Shockro. Passem pela porta e cortem caminho por dentro da casa.

— Mas a gente não vai tomar choque, né? — Marty perguntou.

— No filme, todo mundo que entra na casa do Shockro leva uma descarga elétrica de 20 milhões de volts!

— Imagina! Isso só acontece no filme — Denver respondeu. — É só um cenário. Completamente seguro. Podem passar por dentro da casa. Ao sair, nos fundos, vocês vão ver o prédio principal do outro lado da rua. Não tem erro.

— Obrigada! — Marty e eu gritamos ao mesmo tempo.

Marty se virou e se pôs a correr rápido em direção à casa.

Virei-me para o Denver.

— Desculpe por ter gritado antes. É que eu estava muito assustada e pensei que…

Engasguei ao ver o cabo preso nas costas dele.

Ele não era uma pessoa de verdade, não era um diretor de cinema. Devia ser algum tipo de robô.

Era falso, como todos os outros. E tinha mentido para nós!

Comecei a correr freneticamente, chamando o Marty.

— Não entre! Marty, pare! Não entre na casa!

Mas era tarde demais. Ele já estava atravessando a porta.

— **MARTY,** espere! Pare! — eu gritava enquanto corria.

Precisava impedi-lo.

O diretor era um boneco. Sabia que ele não estava falando a verdade.

— Marty, por favor!

Meus pés descalços batiam no asfalto. Acelerei o passo.

— Pare!

Voei em direção à porta e estiquei as duas mãos, me atirando para a frente para tentar alcançá-lo. Mas não consegui.

Escorreguei e caí de barriga no chão.

Vi um flash de luz branca assim que o Marty entrou na casa. Em seguida, ouvi um barulho muito alto e depois estalos de eletricidade.

O cômodo foi tomado por uma luz tão forte que tive que fechar os olhos.

Ao abri-los, vi o Marty caído no chão.

— Nãããããão! — gritei de pavor.

Entrei na casa depois que consegui me levantar.

Será que eu também ia levar um choque?

Não me importava. Tinha que chegar até o meu amigo, tinha que ajudá-lo a sair de lá.

— Marty! Marty! — chamei repetidas vezes.

Porém, ele nem se mexeu.

— Marty, por favor! — segurei seus ombros e comecei a balançá-los. — Acorda, Marty! Marty!

Ele não abria os olhos.

De repente, senti um arrepio. Uma sombra escura me espreitava. Percebi que não estava sozinha lá dentro.

ASSUSTADA, me virei rápido.

Será que era o Shockro? Ou outro monstro horripilante qualquer?

Uma criatura alta se inclinava sobre mim. Forcei a vista para

tentar ver seu rosto na escuridão.

— Pai! — gritei ao conseguir enxergar. — Pai, que bom ver você!

— O que você está fazendo aqui, Erin? — ele perguntou com a voz grave.

— É... é o Marty! — gaguejei. — Você tem que ajudar o Marty! Ele tomou um choque e... e...

Meu pai chegou mais perto. Seus olhos castanhos pareciam totalmente indiferentes atrás dos óculos. Seu rosto tinha uma expressão carrancuda.

— Faça alguma coisa, pai! — supliquei. — O Marty está machucado, não está conseguindo se mexer nem abrir os olhos! O tour foi tão ruim, pai! Tem algo errado nele! Tem algo muito, muito errado!

Ele não respondeu, apenas se aproximou.

Quando chegou mais perto da luz, vi que não era o meu pai.

— Quem é você? — indaguei berrando. — Você não é o meu pai! Por que não me ajuda? Por que não ajuda o Marty? Faça alguma coisa, por favor! Cadê o meu pai? Quem é você? Socorro! Alguém me ajude! Socorro! AAAAAAAAAAARRRRRR. Socor... MRRRRRRRRRRRRRRR. Pai... MARRRRRRRRRRRRRR. DRRRRRMMMMMMMMMMmmmmmmm.

O SR. WRIGHT balançou a cabeça desapontado, olhando para a Erin e para o Marty. Ele fechou os olhos e deu um suspiro profundo.

Jared Curtis, um dos engenheiros do estúdio, entrou correndo na Casa dos Choques.

— Sr. Wright, o que aconteceu com as duas crianças robôs?

O sr. Wright suspirou novamente.

— Problemas com o programa — murmurou.

Ele apontou para o robô Erin, paralisado de joelhos ao lado do robô Marty.

— Tive que desligar a menina. O chip de memória deve estar meio ruim. A Erin deveria achar que eu sou o pai dela, mas nem me reconheceu ainda há pouco.

— E o robô Marty? — Jared perguntou.

— Parou completamente — Wright respondeu. — Acho que o sistema elétrico deu curto.

— Que pena — Jared lamentou, se abaixando para carregar o Marty.

Ele levantou a blusa do robô e apertou uns botões na parte de trás.

— Ei, foi uma idéia excelente construir essa crianças robôs pra testar o parque. Acho que podemos consertá-las.

Ele abriu um painel nas costas do Marty e ficou olhando os fios vermelhos e verdes.

— Todas as outras criaturas, monstros e robôs funcionaram perfeitamente sem apresentar nenhuma falha.

— Eu deveria ter percebido que havia algo errado ontem — Wright disse. — A gente estava no meu escritório, e a Erin perguntou sobre a mãe. Mas fui eu que a construí. Ela não tem mãe. — Bem, podemos reprogramar esses dois, colocar novos chips. Eles vão ficar novinhos em folha. Depois, testamos o passeio dos Estúdios Choque com eles novamente antes de abri-lo ao público.

Ele pegou o robô Marty das mãos do Jared e o pendurou em um dos ombros. Em seguida, pegou o robô Erin e o jogou sobre o outro ombro. Depois, os carregou para o prédio da engenharia, cantarolando.

Arrepie-se com mais esta história da coleção

VAMOS FICAR INVISÍVEIS!

EU FIQUEI invisível pela primeira vez no dia do meu aniversário de 12 anos.

De certo modo, foi tudo culpa do Branquelo, meu cachorro. Ele é vira-lata, uma mistura de terrier com qualquer outra coisa. É um cachorro todo preto, e foi exatamente por isso que demos o nome de Branquelo.

Se ele não tivesse ficado farejando tudo o que tinha no sótão…

Bem, talvez seja melhor eu voltar um pouco na história e começar do início.

Meu aniversário caiu em um sábado de chuva. Lá estava eu, me aprontando, alguns minutos antes dos meus amigos chegarem para a festa. E quando digo "me aprontando", quero dizer penteando o cabelo.

Meu irmão vive me enchendo por causa disso. Só porque eu

passo um tempão na frente do espelho, me penteando e vendo se o meu cabelo está direito.

O lance todo é que eu tenho um cabelo muito bonito. É bem grosso e castanho meio dourado, um pouco ondulado. Meu cabelo é minha melhor característica, por isso eu faço questão de que esteja sempre legal.

Além disso, minhas orelhas são muito grandes. Aí tenho que ficar vendo se estão sempre cobertas pelo cabelo. Isso é muito importante.

– Max, está meio bagunçado aqui atrás – o Canhoto, meu irmão, disse, de pé atrás de mim enquanto eu ajeitava o cabelo no espelho do corredor.

O nome verdadeiro dele é Noah, mas eu o chamo de Canhoto por ser o único na família que faz tudo com a mão esquerda.

Ele estava brincando de jogar a bola para cima e pegá-la, mesmo sabendo que não podia fazer isso dentro de casa. Mas ele nem ligava e sempre jogava.

O Canhoto é dois anos mais novo que eu. Até que ele é legal, só que tem muita energia. Está sempre brincando com alguma bola, batucando na mesa com os dedos, batendo em algo, correndo por aí, caindo, pulando, brigando comigo. Bem, já deu para entender, né? Meu pai diz que ele deve ter pulga dentro das calças. Sei que é uma expressão idiota, mas descreve o meu irmão direitinho.

Girei o pescoço para ver a parte de trás do meu cabelo.

– Não está nada bagunçado, seu mentiroso! – falei.

– Pensa rápido! – o Canhoto gritou e arremessou a bola para mim.

Tentei pegá-la, mas não consegui. Ela bateu na parede, logo abaixo do espelho, e fez o maior barulho. Meu irmão e eu prendemos a respiração, esperando para ver se a nossa mãe tinha ouvido o estrondo. Acho que ela estava na cozinha preparando o bolo de aniversário e nem escutou nada.

– Seu idiota! – sussurrei para o Canhoto. –Você quase quebrou

o espelho!

— Você é que é idiota! — ele respondeu como sempre.

— Por que você não aprende a jogar com a mão direita? De repente eu conseguiria pegar às vezes — falei.

Eu gostava de atazaná-lo por ser canhoto. Ele detestava quando eu fazia isso.

— Seu bobão! — ele me xingou, pegando a bola.

Eu já estava até acostumado. Ele falava isso um milhão de vezes por dia.

Como eu já disse, até que ele é legal para uma criança de 10 anos. Mas não tem um vocabulário muito grande.

— Suas orelhas estão aparecendo — falou.

Sabia que ele estava mentindo. Comecei a responder, mas a campainha tocou.

Saímos correndo pelo corredor estreito até a porta da frente.

— Ei, a festa é minha! — eu disse.

Porém, o Canhoto chegou primeiro e abriu a porta.

Zack, meu melhor amigo, empurrou a porta de tela e entrou. Estava começando a chover forte agora, mas ele já estava encharcado.

Zack me entregou um presente embrulhado em papel prateado meio molhado.

— É um monte de revistas em quadrinhos. Eu já li. A do Poder X é bem legal — ele disse.

— Obrigado. Até que elas não estão muito molhadas — falei.

O Canhoto tirou o presente das minhas mãos e correu para a sala de estar.

— Não abre! — gritei quando ele disse que ia apenas guardá-lo.

O Zack tirou o boné de um time de basquete, revelando o novo corte de cabelo.

— Uau! Você está… diferente — eu disse, olhando-o bem.

Seu cabelo preto estava cortado bem baixinho do lado esquerdo.

O restante estava comprido, penteado para o lado direito.

— Você convidou alguma garota? — perguntou. — Ou só vai ter meninos?

— Vão vir umas meninas — falei. — A Erin e a April. Talvez a minha prima Debra também — eu sabia que ele gostava da Debra.

Ele balançou a cabeça pensativo. O Zack tem um rosto bem sério, com olhos azuis que sempre parecem distantes, como se ele estivesse pensando em algo muito importante e profundo.

É um cara meio intenso. Não é nervoso nem nada, apenas empolgado. E bastante competitivo. Sempre tem que ganhar. Se fica em segundo lugar, se irrita e chuta tudo. Aposto que você conhece alguém assim.

— O que a gente vai fazer? — perguntou, tirando a água do boné.

— A festa deveria ser no quintal. Meu pai montou a rede de vôlei hoje de manhã. Mas isso foi antes de começar a chover. Eu aluguei uns filmes, dá pra gente ver esses filmes.

A campainha tocou de novo. O Canhoto apareceu do nada, nos empurrou e correu em direção à porta.

— Ah, é você — escutei ele dizer.

— Muito obrigada pela recepção calorosa.

Reconheci a voz aguda da Erin. Algumas pessoas a chamam de Ratinha por causa disso e por ser pequena como um camundongo. Ela tem cabelo louro, curto e liso. Eu a acho muito bonita, mas é claro que jamais diria isso a alguém.

— Podemos entrar?

Agora era a voz da April, a outra garota do grupo. Ela tem cabelos pretos e encaracolados e olhos escuros e tristonhos. Sempre pensei que fosse muito triste, mas depois descobri que é apenas timidez.

— A festa é amanhã — ouvi o Canhoto dizer a elas.

— O quê? — as duas gritaram surpresas.

— Não é, não! — gritei.

Apareci e expulsei meu irmão. Abri a porta de tela para que a

Erin e a April passassem.

— Vocês sabem que o Canhoto adora pregar peças — eu disse, espremendo meu irmão contra a parede.

— O Canhoto já é uma peça — Erin disse.

— Sua idiota! — o Canhoto xingou.

Eu o apertei mais forte contra a parede, me inclinando sobre ele com todo o peso do corpo. Porém, ele se abaixou e conseguiu fugir.

— Feliz aniversário! — a April falou, passando a mão pela cabeça para tirar a água da chuva.

Ela me entregou um presente embrulhado em um papel com desenhos natalinos.

— Era o único papel de presente que a gente tinha — explicou ao me ver olhando para ele.

— Feliz Natal pra você também! — brinquei.

O presente parecia ser um CD.

— Eu esqueci o seu presente — Erin disse.

— E o que é? — perguntei, seguindo as meninas até a sala de estar.

— Não sei. Ainda não comprei.

O Canhoto tomou o presente da April da minha mão e correu para colocá-lo em cima do presente do Zack, no canto atrás do sofá.

A Erin se estendeu no pufe de couro branco em frente à poltrona. A April estava em pé, olhando a chuva pela janela.

— A gente ia fazer um churrasco — falei.

— Um dia como este está mais é pra ensopado — a April respondeu.

Meu irmão estava atrás do sofá, jogando a bola para cima e pegando-a com a mão esquerda.

— Você vai acabar quebrando o abajur — avisei.

Ele me ignorou, é claro.

— Quem mais vem? — a Erin perguntou.

Antes que eu pudesse responder, a campainha tocou novamente. O Canhoto e eu corremos para a porta. Ele tropeçou nos próprios

pés e saiu deslizando pelo corredor de barriga no chão. Isso é típico dele.

Por volta das 14h30, todo mundo – cerca de 15 pessoas – já tinha chegado, e a festa, começado. Bem, na verdade, a gente ainda não tinha conseguido decidir o que fazer. Eu queria ver um filme que tinha alugado. Mas as garotas queriam jogar um jogo de tabuleiro.

– Mas o aniversário é meu! – insisti.

Finalmente, chegamos a um acordo. Acabamos jogando e depois vendo o filme até a hora de comer.

A festa foi muito boa. Acho que todos se divertiram, até a April. Ela geralmente fica bem calada e nervosa nessas ocasiões.

O Canhoto derramou refrigerante na roupa e comeu o bolo de chocolate com as mãos. Ele acha isso legal. Mas é o único animal do grupo.

Eu disse que o único motivo para ele ter sido convidado era por ser da família e por não haver nenhum lugar onde eu pudesse escondê-lo. Ele respondeu abrindo bem a boca para todo mundo ver o bolo mastigado lá dentro.

Depois que desembrulhei os presentes, coloquei o filme de novo, mas as pessoas começaram a ir embora. Devia ser umas 17 horas, mas parecia bem mais tarde. Continuava chovendo e estava bem escuro lá fora, como se fosse noite.

Meus pais estavam na cozinha limpando tudo. Só a Erin e a April tinham ficado. A mãe da Erin devia ter vindo buscá-las, mas ligou avisando que ia se atrasar.

O Branquelo estava latindo à beça em frente à janela. Olhei lá para fora e não vi ninguém. Eu o segurei com as duas mãos e o puxei.

– Vamos subir até o meu quarto – sugeri, finalmente conseguindo fazer o cachorro ficar quieto. – Eu ganhei um jogo novo de videogame e ainda nem joguei.

As meninas me acompanharam animadamente. Elas não gostavam do filme que eu tinha escolhido só porque era de terror.

O corredor lá de cima estava completamente escuro. Apertei o interruptor, mas a luz não acendeu.

— A lâmpada deve ter queimado — falei.

Meu quarto ficava no fim do corredor. Tivemos que caminhar bem devagar pela escuridão.

— É meio assustador aqui em cima — a April disse baixinho.

Assim que ela acabou de falar, a porta do armário que fica no corredor se abriu de repente e uma criatura pulou sobre nós com um grito ensurdecedor.

2

AS MENINAS gritaram de pavor, e a criatura me agarrou pela cintura e me jogou no chão.

— Canhoto, me solta! — gritei com raiva. — Não tem a mínima graça!

Ele ria feito louco, se achando muito engraçado.

— Peguei vocês! Peguei de verdade! — gritou.

— A gente nem estava com medo porque sabia que era você — a Erin falou.

— Ah, é? Então por que vocês gritaram? — meu irmão perguntou.

Ela não tinha o que responder.

Eu o tirei de cima de mim e me levantei.

— Que bobeira, Canhoto — falei.

— Por quanto tempo você ficou esperando dentro do armário? — a April quis saber.

— Um tempão — o Canhoto respondeu e começou a se levantar,

mas o Branquelo correu para cima dele e lambeu seu rosto enlouquecidamente. Fazia tantas cócegas que ele caiu de costas de novo, gargalhando.

—Você assustou o Branquelo também — eu disse.

— Não assustei, não. O Branquelo é muito mais esperto que vocês — meu irmão disse, empurrando o cachorro, que começou a farejar na frente de uma porta do outro lado do corredor.

—Aonde aquela porta vai dar, Max? — a Erin perguntou.

— No sótão — respondi.

—A sua casa tem sótão? — ela gritou, como se isso fosse grande coisa. — Eu adoro sótãos! E o que tem lá?

— O quê? — perguntei surpreso.

As garotas são tão estranhas às vezes. Como alguém pode dizer que adora sótãos? Eu, hein!

— Só umas tralhas velhas que os meus avós deixaram aqui. Esta casa era deles. Meus pais guardaram um monte de coisas no sótão. A gente quase nunca entra lá — contei.

—A gente pode subir e dar uma olhada? — a Erin perguntou.

—Ahn, tudo bem. Mas não tem nada de mais — respondi.

— Eu adoro coisas velhas — ela falou.

— Mas está tão escuro… — a April disse baixinho.

Acho que ela estava meio assustada.

Abri a porta e tentei alcançar o interruptor. Uma luz fraca e amarela se acendeu no teto, revelando os degraus de madeira.

—Viu só? Tem luz aqui — falei para a April.

Comecei a subir a escada, que rangia a cada passo que eu dava. Minha sombra estava bem comprida.

—Vocês vêm? — perguntei.

—A mãe da Erin já vai chegar — a April disse.

—A gente não vai demorar, vamos lá! — a Erin disse, dando um empurrãozinho na amiga.

O Branquelo nos ultrapassou enquanto subíamos. Seu rabo balan-

çava para lá e para cá, e as unhas faziam um barulhão ao bater na escada. Mais ou menos no meio do caminho, o ar ficou quente e seco.

Parei no último degrau e dei uma olhada ao meu redor. O sótão era uma sala grande cheia de móveis velhos, caixas de papelão, roupas esfarrapadas, varas de pescar, pilhas de revistas amareladas, enfim, todo tipo de tralha que você possa imaginar.

— Nossa, que cheiro de mofo! — a Erin falou, passando por mim, entrando no cômodo e respirando fundo. — Adoro isso!

— Você é muito esquisita — eu disse.

A chuva batia com força no telhado. O som ecoava, fazendo um barulho constante. Parecia até que estávamos dentro de uma cachoeira.

Nós quatro começamos a explorar o sótão. O Canhoto continuava jogando a bola para cima e pegando-a com a mão esquerda. Percebi que a April ficava o tempo todo perto da Erin. O Branquelo estava farejando algo na parede enlouquecidamente.

— Vocês acham que tem algum rato aqui? — meu irmão perguntou com um sorrisinho maligno no rosto, e vi a April arregalar os olhos. — Sabe aqueles ratões que gostam de subir nas pernas das meninas? — ele continuou provocando.

O Canhoto tem um ótimo senso de humor.

— Podemos ir agora? — a April perguntou impaciente, recuando em direção à escada.

— Olha essas revistas antigas! — a Erin gritou, pegando uma delas e folheando-a. — As roupas dessas modelos são ótimas!

— Ei, o que o Branquelo está fazendo? — o Canhoto perguntou de repente.

Segui seu olhar até a parede oposta. Vi o rabo do cachorro balançando atrás de um monte de caixas e o ouvi arranhando algo com força.

— Vem aqui, Branquelo! — ordenei.

É claro que ele nem me deu atenção e começou a arranhar mais forte.

– O que você está fazendo, Branquelo?

– Ele deve estar destroçando um rato – o Canhoto sugeriu.

– Eu vou embora! – a April exclamou.

– Branquelo! – chamei.

Passei por cima de uma mesa de jantar velha e consegui chegar até onde ele estava. Vi que arranhava a parte de baixo de uma porta.

– Ei, olhem! O Branquelo achou uma porta escondida – falei para os outros.

– Que legal! – a Erin gritou, correndo para ver.

O Canhoto e a April vieram logo em seguida.

– Eu nem sabia que essa porta existia – falei.

– Vamos ver o que tem do outro lado! – a Erin disse.

E foi assim que tudo começou.

Deu para entender por que eu disse que foi tudo culpa do cachorro, né? Se aquele bicho idiota não tivesse começado a farejar e a arranhar, é provável que nem tivéssemos achado a sala escondida do sótão.

E nunca teríamos descoberto o segredo emocionante – e apavorante – por trás daquela porta de madeira.

– BRANQUELO! – chamei, me ajoelhando e tirando o cachorro de perto da porta. – O que foi?

Assim que o empurrei para o lado, o bicho perdeu todo o interesse pela porta. Ele se afastou e começou a cheirar outro canto. Isso é que é dificuldade de concentração! Mas acho que essa é a diferença entre as pessoas e os cachorros.

A chuva continuava a cair, fazendo um barulho constante bem em cima da gente. Também dava para ouvir o vento assobiando lá fora. Era uma tempestade de primavera daquelas!

O trinco da fechadura estava enferrujado, mas até que se moveu com facilidade, e a porta empenada de madeira começou a abrir antes mesmo que eu a puxasse.

As dobradiças rangeram, e a escuridão revelou-se do outro lado.

Antes que eu abrisse a porta até a metade, o Canhoto se enfiou embaixo do meu braço e entrou no quarto escuro.

– Um cadáver! – ele gritou.

– Nãããããão! – as meninas berraram horrorizadas.

Mas eu conhecia bem o senso de humor idiota do meu irmão.

– Bela tentativa. Fica pra próxima, Canhoto – falei.

É claro que ele só estava brincando.

Quando passei pela porta, encontrei uma sala pequena e sem janelas. A única luz era aquela amarela e fraca que vinha do teto, no centro do sótão.

– Abra a porta toda pra luz entrar – falei para a Erin. – Não dá pra ver nada aqui.

A Erin a abriu e botou uma caixa na frente para segurá-la. Depois, ela e a April entraram e se juntaram a mim e ao Canhoto.

– É grande demais pra ser um armário – a Erin disse com a voz ainda mais aguda. – Então é o quê?

– É só uma sala – falei, ainda esperando meus olhos se acostumarem com a luz fraca.

Dei mais um passo no cômodo. Ao fazê-lo, uma criatura escura se aproximou de mim.

Dei um berro e pulei para trás.

A outra pessoa pulou para trás também.

– É um espelho, bobão! – o Canhoto disse rindo.

Todos nós começamos a rir alto de nervoso.

Era mesmo um espelho. Eu o via claramente agora, apesar da com a luz fraca.

Ele era grande e retangular, cerca de 60 centímetros mais alto que eu, com uma moldura de madeira escura e base de madeira também.

Eu me aproximei dele, e meu reflexo se moveu mais uma vez para me cumprimentar. Para minha surpresa, o espelho estava bem limpo, nem um pouco empoeirado, embora ninguém tivesse ido lá há anos.

Aproveitei para ver como estava o meu cabelo. Bem, é para isso que servem os espelho, certo?

— Quem botaria um espelho sozinho em um quarto? — a Erin perguntou.

Eu podia ver seu reflexo um pouco atrás de mim.

—Talvez ele seja valioso ou algo do gênero — falei, procurando meu pente no bolso da calça. —Tipo uma peça de antiguidade.

— Foram os seus pais que o colocaram aqui?

— Não sei — respondi. —Talvez fosse dos meus avós. Não tenho idéia — respondi, passando o pente pelos cabelos.

— Podemos ir? Não estou gostando muito deste lugar — a April falou.

Ela ainda estava bem próxima da porta, com medo.

— De repente é um desses espelhos de circo — o Canhoto sugeriu, me tirando da frente e fazendo careta. —Tipo dessas casas de espelhos que fazem o seu corpo parecer que tem formato de ovo.

— Seu corpo já tem formato de ovo — brinquei, empurrando-o. — Bem, pelo menos a sua cabeça tem.

— E você é um ovo podre! — ele respondeu. — Seu bobão!

Olhei o espelho. O reflexo era perfeitamente normal, sem nenhuma distorção.

— Ei, April, entra logo — pedi. —Você está na frente da luz.

—A gente não pode ir embora? — ela perguntou choramingando.

Muito contrariada, acabou entrando um pouco na sala. — Quem é que liga pra um espelho antigo?

— Ei, olhem isso — eu disse, apontando.

Vi uma luminária presa no topo do espelho. Era oval, feita de latão ou de algum outro tipo de metal. A lâmpada era comprida e fina, quase como uma lâmpada fluorescente, só que menor.

Olhei para a luminária, tentando achar um interruptor.

— Como será que liga?

—Tem uma correntinha — a Erin disse, vindo para o meu lado.

Ela tinha razão. Havia uma cordinha, de uns 30 centímetros, caindo do lado direito da luminária.

— Será que funciona? — perguntei.

— Deve estar queimada — o Canhoto falou.

O bom e velho Canhoto. Sempre otimista.

— Só há um jeito de descobrir — eu disse, ficando na ponta dos pés para tentar alcançar a correntinha.

— Cuidado! — a April pediu preocupada.

— Por quê? É só uma lâmpada — falei.

Essas foram minhas últimas palavras.

Eu me estiquei, mas não consegui alcançar. Tentei de novo. Peguei a cordinha na segunda tentativa e a puxei.

A luz se acendeu com um flash surpreendente que ofuscou a nossa vista. Depois, diminuiu para uma luz normal bem branca que refletia no espelho.

—Ah, assim está melhor! — exclamei. — Iluminou o quarto todo. É bem forte, né?

Ninguém respondeu.

— Eu disse que é bem forte, né?

Mais silêncio.

Eu me virei e vi que todos estavam completamente espantados.

— Max? — o Canhoto gritou, me encarando com os olhos arregalados.